PÉDAGOGIES POUR DEMAIN

NOUVELLES APPROCHES

PÉDAGOGIE DIFFÉRENCIÉE

Halina Przesmycki

Préface de André de Peretti

Série dirigée par Jean-Pierre Obin

L'auteur :

Halina Przesmycki a été professeur d'histoire-géographie au lycée de Casablanca, puis au collège du Parc, à Sucy-en-Brie (94). Elle est actuellement formatrice à la MAFPEN de Créteil où elle anime des stages sur la pédagogie différenciée, l'aide individualisée aux élèves en grande difficulté et la pédagogie de contrat. Chevalier des Palmes académiques depuis le 13 décembre 1993.

Conception et réalisation : *Insolencre.*

I.S.B.N. 2-01-0179 63-3

Sommaire

Partie 1 : Qu'est-ce que la pédagogie différenciée ? 9
Définitions et fondements théoriques 10
Les conditions de sa mise en œuvre 18
La méthodologie d'ensemble 27

Partie 2 : Comment élaborer un diagnostic ? 33
L'élaboration du diagnostic initial 34
Les modalités du diagnostic initial en évaluation formative 37
Les choix du support pour le diagnostic initial 47

Partie 3 : Comment monter des stratégies d'apprentissage ? 65
La place du diagnostic initial dans la progression pédagogique 66
L'hétérogénéité du cadre de vie des élèves 72
La diversité des processus d'apprentissage des élèves 82

Partie 4 : Un exemple de séquence de pédagogie différenciée 97

Partie 5 : La mise en œuvre pratique 101
Le travail autonome et l'évaluation 102
La pédagogie de contrat 121
Les techniques de travail en groupe 134
La différenciation des contenus 145
La différenciation des structures 148

Remerciements :

Avec les plus vifs remerciements à André de Peretti dont la réflexion créatrice et innovante a permis la naissance de ce livre.

Merci encore à Alain, à Martine et à Jean-Pierre de Mondenard, qui m'ont soutenue pendant ce travail.

Préface

En dépit de bien des difficultés, malgré quelque rusticité des conditions de travail dans les établissements scolaires, il peut exister un plaisir d'enseigner : les lycéens en font témoignage, exprimant, dans les récents sondages, une considération et une estime à l'égard de leurs professeurs supérieure à celle manifestée par leur familles et l'opinion publique (ou certains ouvrages dépressifs d'auteurs en quête de popularité, par l'usage d'un misérabilisme de bon ton !). Ce plaisir peut assurer aux jeunes les chances d'un plaisir d'apprendre, les préparant à ce que le géologue Pierre Termier dénommait *la joie de connaître.*

Le plaisir d'enseigner suppose, toutefois, que les enseignants puissent disposer d'un clavier suffisamment étendu de possibilités d'intervention et d'action méthodologique, pédagogique et didactique, leur permettant de varier leurs réponses aux attentes diversifiées des élèves et, pour eux-mêmes, de donner une tonalité personnelle à leur enseignement et à ce qui peut être leur mélodie pédagogique.

Aussi bien, plus je rencontre d'enseignants, en France comme à l'étranger, et plus je constate la relative exiguïté d'un tel clavier, renforçant une demande essentielle d'appui professionnel sous la forme de conseils ou d'inspirations pratiques (rien n'est plus difficile que la pratique, surtout dans le champ culturel), de modalités techniques, d'instruments ingénieux et de supports multiples. Et je constate trop souvent que les interventions ou les écrits des universitaires ou des chercheurs, loin de répondre à cette demande, provoquent une mise en cause et une souffrance chez nos collègues qui assurent le difficile travail sur le terrain, œuvrant avec des groupes d'élèves de plus en plus différents les uns des autres et secoués par les perturbations de leurs milieux familiaux et sociaux.

Il faut donc se réjouir de voir apparaître, avec le présent ouvrage, une vraie réponse aux légitimes attentes des professeurs, leur proposant un large choix de possibilités pratiques en vue d'une différenciation tant des processus d'enseignement que des structures d'apprentissage et des contenus de savoirs, en harmonisation éventuelle avec la diversité des personnes, les exigences disciplinaires et les contraintes institutionnelles. Le clavier des moyens méthodologiques éprouvés qui est détaillé ici s'étend à la mesure des nécessité de notre système scolaire et, mieux encore, à celle des aspirations de notre corps enseignant.

Car, quel enseignant français ne ressentirait pas la justesse de la commande ministérielle explicitant l'urgence de différencier nos modalités d'enseignement en vue de mieux aider la très grande majorité des jeunes, de plus en plus hétérogène ? Mais comment, en *praxis*, s'accorder à une telle commande ? Le livre intelligent que nous offre Mme Przesmycki nous donne la preuve de la conscience professionnelle et de la ténacité courageuse à élaborer des moyens concrets, aussi simples qu'affinés, pour résoudre la difficile adaptation de notre système scolaire.

Depuis 1979, où nous participions, Louis Legrand et moi, à l'élaboration d'une note d'inspection générale, définissant, sous l'égide du doyen Lucien Géminard, le cadre de la pédagogie différenciée, beaucoup de chemin a été heureusement parcouru. De nombreuses expérimentations ont mis au point et validé des procédures multiples d'enseignement et d'apports de connaissances, des variétés de techniques d'apprentissage et d'étude, des voies plurielles de gestion du temps mais aussi de groupement des élèves, l'enrichissement des modalités d'évaluation et des registres de situations-problèmes. L'outillage réalisé, l'ingénierie élaborée donnent une force d'application aux souhaits d'amélioration de nos formes d'éducation et d'enseignement : au delà des incantations habituelles !

De la sorte, chaque enseignant peut disposer d'une pluralité de moyens d'enseignement entre lesquels il lui revient de choisir librement : assurant durablement l'équilibre nécessaire entre la personnalisation et la professionnalisation de son activité essentielle et manifestant, devant nos jeunes et notre nation, son rôle irrécusable d'organisateur de l'accession aux savoirs et à l'insertion sociale. Ce rôle est de plus en plus important dans l'ère magnifique mais difficile de la post-modernité. Je me réjouis des points d'appui solides apportés par les pages qui suivent.

André de Peretti

Avant-propos

« *Cette jeunesse est pourrie ; les jeunes sont malfaisants et paresseux. Ils ne seront jamais comme la jeunesse d'autrefois ; ceux d'aujourd'hui ne sont pas capables de maintenir notre culture...* » se plaignait déjà un prêtre-enseignant mésopotamien vers 3000 avant J.-C. ! et aujourd'hui encore les médias et diverses analyses témoignent d'une crise de transmission du savoir par l'école.

Aussi, le propos de ce livre est-il de convaincre de l'urgence de la prise en compte positive de l'hétérogénéité des élèves, miroir du corps social éclaté et pluriel décrit par les sociologues.

Urgence pour les élèves dont 80 % environ perdent un à deux tiers de leur temps en apprentissages inutiles ou dépassés, et dont les compétences sont peu exploitées ou valorisées dans leur orientation, ce que signalent le rapport du Collège de France au président de la République[1] et les études sur le *malmenage scolaire*[2]. Quel gâchis et quel temps volé aux élèves !

Urgence pour les enseignants souvent désemparés entre une école en crise et une société bloquée !

Mais comment agir ? Quelles réponses apporter ? Le retour au mythe de l'âge d'or quand les élèves et le niveau étaient meilleurs ? La rigidité s'enfermant parfois dans l'agressivité ? L'anxiété ou la déprime si épuisantes à occulter que les congés deviennent un but en soi, dévalorisant d'autant l'image sociale des enseignants ?

Ou prendre en compte l'hétérogénéité des nouvelles réalités sociales et scolaires par une pédagogie novatrice qui serait la pédagogie différenciée ?

Cet ouvrage se présente comme une base pratique pour ceux qui, désirant mettre en œuvre la pédagogie différenciée comme possible remédiation à l'échec scolaire, veulent élaborer leurs propres stratégies et outils de réussite. Sans être exhaustif, il se veut un outil maniable débouchant, pour le lecteur, sur une action concrète, tout en rappelant que la pédagogie différenciée n'est pas une panacée et que sa réussite exige certaines conditions.

---

1. *Documentation française*, mars 1985.
2. G. Vermeil, *La Fatigue à l'école*, E.S.F., 1977, citant R. Debré.

Qu'est-ce que la pédagogie différenciée ?

Cette première partie, après avoir présenté les bases théorique, historique, institutionnelle, la finalité et les objectifs de la pédagogie différenciée, décrit les conditions, les problèmes éventuels et la méthodologie d'ensemble de sa mise en œuvre.

SOMMAIRE

Définition et fondements théoriques 10

Les conditions de sa mise en œuvre ... 18

La méthodologie d'ensemble 27

Définition et fondements théoriques

Les fondements théoriques de la pédagogie différenciée 11
Les bases historique et institutionnelle 11
La finalité et les objectifs 13
Les dispositifs de la différenciation 15

La pédagogie différenciée est une **pédagogie des processus** : elle met en œuvre un cadre souple où les apprentissages sont suffisamment explicités et diversifiés pour que les élèves apprennent selon leurs propres itinéraires d'appropriation de savoirs ou de savoir-faire.

Elle s'organise à partir d'un ou plusieurs éléments caractéristiques de l'hétérogénéité des élèves comme :

– **leurs différences cognitives** dans le degré d'acquisition des connaissances exigées par l'institution et dans la richesse de leurs processus mentaux où se combinent représentations, stades de développement opératoire, images mentales, modes de pensée, stratégies d'apprentissage ;

– **leurs différences socioculturelles** : valeurs, croyances, histoires familiales, codes de langage, types de socialisation, richesses et spécificités culturelles ;

– **leurs différences psychologiques** : vécu et personnalité révélant leur motivation, leur volonté, leur attention, leur créativité, leur curiosité, leur énergie, leur plaisir, leur équilibre, leurs rythmes.

La pédagogie différenciée se définit donc comme :

– une pédagogie **individualisée** qui reconnaît l'élève comme une personne ayant ses représentations propres de la situation de formation ;

– une pédagogie **variée** qui propose un éventail de démarches, s'opposant ainsi au mythe identitaire de l'uniformité, faussement démocratique, selon lequel tous doivent travailler au même rythme, dans la même durée, et par les mêmes itinéraires.

Tout en n'étant pas, évidemment, la seule solution de remédiation à l'échec scolaire – il y a tant de secrets chemins buissonniers dans un apprentissage – **la pédagogie différenciée renouvelle les conditions de la formation** par l'ouverture d'un maximum de portes d'accès au maximum d'élèves.

Les fondements théoriques de la pédagogie différenciée

La philosophie autant que les recherches sur la didactique légitiment la pratique d'une pédagogie différenciée. Deux exigences philosophiques la sous-tendent :

– **la foi dans les potentialités de l'être humain** qui permettent son éducabilité, même si cela est parfois difficile à mettre en œuvre de façon continue sans découragement ;

– **l'idéal d'égalité des chances** pour tous par la reconnaissance du droit à la différence de *l'individu-élève*, à l'intérieur de situations inégalitaires de fait, comme la classe en cours magistral.

Elle répond à certaines théories actuelles sur l'apprentissage dont l'organisation et la réussite dépendent :

– de l'importance du sens et des éléments d'orientation qui lui sont donnés ;

– de la possibilité offerte à l'élève d'en être véritablement acteur et de le réaliser de manière positive en se prenant lui-même en charge.

Les bases historique et institutionnelle

Depuis le XIXe siècle déjà, les maîtres d'écoles en milieu rural pratiquaient une pédagogie différenciée dans leur classe qui regroupait des élèves d'âge et de niveau hétérogènes, comme on en rencontre encore parfois.

Le concept de différenciation pédagogique est né de l'évolution progressive de la reconnaissance de l'élève comme personne à travers de nombreux écrits. Cousinet[1], Freinet[2], Oury[3] montrent, chacun selon son éclairage particulier, que l'élève *«existe avec ses désirs, ses soucis, ses richesses»*, et proposent une pédagogie recentrée sur l'*apprenant* et ses intérêts véritables.

Roger Cousinet montre qu'il faut renverser les **rapports maître-élèves** pour s'interroger davantage : comment un enfant apprend-il ?
Il propose une pédagogie du travail en groupe prenant en compte les différentes façons de comprendre des élèves.
Célestin Freinet pense que la pédagogie doit favoriser chez le sujet-élève le **passage à l'âge adulte,** en organisant des interactions sociales fréquentes et concrètes par une **pédagogie coopérative.** Les élèves collaborent à un travail commun : imprimer un journal, définir les règles de fonctionnement de la classe...
Fernand Oury insiste aussi sur l'apprentissage de la vie collective par la pratique du **conseil d'équipe** où chaque groupe d'élèves organise le matin le travail de la journée de façon que chacun ait «un espace-temps dans lequel il se sent à l'aise, en sécurité, libre, puissant».

1. R. Cousinet, *L'Éducation nouvelle*, Delachaux et Niestlé, 1950.
2. Célestin Freinet, *Pour l'école du peuple*, Maspéro, 1976.
3. F. Oury, A. Vasquez, *De la classe coopérative à la pédagogie institutionnelle*, Maspéro, 1971.

La mention et la formulation de ce concept dans une pratique concrète datent des années soixante. Louis Legrand, alors directeur de l'Institut pédagogique national (I.P.N.)[1], impulsa, dans 17 collèges expérimentaux, la réflexion sur ce thème. Alain Savary, ministre de l'Éducation nationale de 1981 à 1984, relança le mouvement de rénovation pédagogique en organisant, lors de la création des Missions académiques de formation des personnels de l'Éducation nationale (MAFPEN), des modules de formation de formateurs d'enseignants dans huit domaines, dont la pédagogie différenciée.

Le rapport de la Commission sur la formation des personnels de l'Éducation nationale (avril 1982) fait référence à ces domaines exprimés en modules de formation. Dans sa lettre aux recteurs du 15 avril 1982, Alain Savary définit les modules des huit séminaires de formation prévus au niveau national. Il s'agit des modules suivants que l'on a pris l'habitude d'appeler communément du nom de son initiateur, «modules de Peretti» :

1. mise en œuvre de formes souples de l'**emploi du temps scolaire** ;

2. méthodes facilitant l'**élaboration de projets** individuels et collectifs de formation ;

3. utilisation des **ressources documentaires et conseil méthodologique** ;

4. **travail autonome** des élèves ;

5. méthodes d'**analyse des besoins** ;

6. **pédagogie différenciée** ;

7. formes nouvelles d'**évaluation** ;

8. élaboration des **programmes de formation** ou de stages.

Parallèlement, la prise de conscience de la nécessité de différencier l'enseignement se fit à partir de la création du collège unique accueillant tous les élèves, alors qu'auparavant 6 % seulement d'une même tranche d'âge entrait en classe de sixième. Malgré cette hétérogénéité nouvelle des élèves, la même pédagogie fut maintenue ; les inégalités de niveau s'accentuèrent.

D'autres formes de différenciation furent alors organisées. Les classes de transition, puis les groupes de niveau-matière, homogènes selon le rythme d'apprentissage, firent leur apparition en français, mathématiques, langues vivantes, de la classe de sixième à celle de troisième dans les collèges expérimentaux[2], puis en histoire-géographie et en éducation physique et sportive. Très vite, des activités pluri et interdisciplinaires furent mises en place pour différencier autrement la pédagogie dans toutes les matières à partir d'objectifs communs. Liée actuellement aux finalités de la réforme du système éducatif, la pédagogie différenciée prit en 1977 la forme du «*soutien et approfondissement remédiant aux difficultés et lacunes graves de certains élèves*» (Instructions du 28 mars 1977). En 1981,

1. I.P.N. devenu I.N.R.D.P., aujourd'hui I.N.R.P. : Institut national de la recherche pédagogique, 29, rue d'Ulm, 75005 Paris.
2. Cf. le protocole de Saint-Quentin in *Recherches pédagogiques* n°58, I.N.R.P., 1973.

furent créées des zones d'éducation prioritaire (ZEP) comme «*instrument privilégié de lutte contre les inégalités devant l'école*», prenant en compte l'hétérogénéité socio-économique et culturelle des élèves[1].

Enfin, dans son rapport[2] sur la réforme des collèges, Louis Legrand insista sur l'urgence de la mise en place de la pédagogie différenciée, souvent présentée ensuite dans les circulaires de rentrée comme «*stimulante et de progrès*». Dans la loi d'orientation sur l'éducation[3], la possibilité d'introduire la différenciation apparaît sous la forme du projet d'établissement et du projet personnel de l'élève qui, par des bilans réguliers, apprend à s'évaluer.

Aujourd'hui, la mise en œuvre d'une pédagogie différenciée dans les collèges et dans certains lycées est souvent le moteur de la rénovation pédagogique, et des stages sur ce sujet sont proposés par les MAFPEN.

La finalité et les objectifs

La finalité de la pédagogie différenciée, c'est la lutte contre l'échec scolaire. La pédagogie différenciée est, en effet, une stratégie de la réussite réellement efficace à l'école, au collège ou au lycée. De nombreuses réalisations réussies, dans l'enseignement technique entre autres, le prouvent.

Organisée en situations d'apprentissage et d'évaluation adaptées aux besoins et aux difficultés spécifiques des élèves, selon des processus diversifiés, elle leur permet de :
- prendre conscience de leurs capacités ;
- développer leurs capacités en compétences ;
- débloquer leur désir d'apprendre ;
- sortir de l'échec par la répétition de situations analogues ;
- trouver leur propre chemin d'insertion dans la société ;
- prendre conscience de leurs possibilités.

Plus précisément, la méthodologie suivie pour différencier provoque la réussite scolaire par la réalisation de trois objectifs fondamentaux pour les apprentissages :
- améliorer la relation enseignés/enseignants ;
- enrichir l'interaction sociale ;
- apprendre l'autonomie.

---

1. Circulaires n° 81-6238 du 1-07-81 et n° 81-536 du 28-02-81.
2. *Pour un collège démocratique*, Documentation française, 1982.
3. Loi d'orientation sur l'éducation, n° 89-486 du 10 juillet 1989, proposée par Lionel Jospin, ministre de l'Éducation nationale.

Améliorer la relation enseignés/enseignants

Comme le montrent les travaux de Jean-Pierre Changeux[1] et de G. Racle[2] en neurophysiologie du cerveau et en psychologie cognitive, les émotions positives (la confiance, le plaisir, la sécurité) déclenchent la motivation sans laquelle nul apprentissage ne peut s'effectuer, et facilitent le traitement et la mémorisation des informations par les deux hémisphères. La qualité de la relation enseignés/enseignants est donc importante : une séquence de pédagogie différenciée laisse le champ libre à l'émergence et à l'existence de ces émotions.

Enrichir l'interaction sociale

Des interactions riches permettent l'appropriation durable de savoirs et de savoir-faire : l'élève devient acteur de son apprentissage avec les autres, au sein d'un groupe.

Selon les travaux de l'école constructiviste[3] suivant Jean Piaget et ceux d'Henri Wallon[4], une interaction sociale dynamique et riche permet un meilleur développement cognitif, car elle favorise à la fois l'action et l'échange tout en faisant apparaître le sens et l'intérêt d'une tâche.

Le psychologue Jean Piaget a montré[5] qu'un apprentissage peut s'effectuer si un sujet vit un **conflit socio-cognitif** entre ses propres représentations (modes d'explication du monde, élaborés grâce aux données de sa perception et ses connaissances antérieures) et les représentations différentes émanant, dans une situation pédagogique donnée, des autres (le maître, les camarades, etc.) et de l'environnement (le cadre, les contenus, les supports...). Ce conflit provoque, dans le processus intellectuel, une **décentration** qui pousse l'apprenant à réorganiser une ancienne représentation pour intégrer des éléments d'une nouvelle représentation.

Travaillant avec Piaget, Anne-Marie Perret-Clermont démontre que tout apprentissage organisé afin d'enrichir l'interaction sociale, comme le travail autonome en groupe, favorise le développement cognitif des élèves en permettant des **conflits de centration** fréquents où l'intégration répétée et successive de nouveaux savoirs s'opérera au mieux.

Henri Wallon a montré par ailleurs l'**importance de l'action dans le développement de la pensée.** L'individu a d'abord besoin d'agir sur le monde, puis, en investissant son savoir acquis, de voir par de nouvelles actions les effets de son activité précédente et ses difficultés, de vérifier enfin si celle-ci lui a permis de résoudre un problème et d'élaborer de nouvelles démarches de compréhension : **«La pensée naît de l'action et retourne à l'action»**, dit-il.

---

1. Jean-Pierre Changeux, *L'Homme neuronal*, Fayard, 1983.
2. G. Racle, *La Pédagogie interactive*, Retz, 1983.
3. Anne-Marie Perret-Clermont, *La Construction de l'intelligence dans l'interaction sociale*, Lang, 1979.
4. Henri Wallon, *L'Origine de la pensée chez l'enfant*, PUF, 1945.
5. Jean Piaget, *Psychologie de l'enfant*, PUF, 1978.

Apprendre l'autonomie

Des psychologues comme Carl Rogers[1] montrent que favoriser l'épanouissement de l'imagination et de la créativité facilite la compréhension. Pour cela, les élèves ont besoin à la fois d'un cadre sécurisant et de champs de liberté où ils ont le droit de choisir, de décider, d'innover, de prendre des responsabilités. Le cadre de formation souple proposé ici par la pédagogie différenciée dans le travail autonome, l'auto-évaluation formative, le contrat, la pédagogie du projet, les techniques de groupe favorisent donc le développement cognitif et les progrès des élèves.

Les dispositifs de la différenciation

Mettre en interaction des personnes, du savoir et de l'institution

La différenciation s'opère par la mise en interaction continue des personnes, du savoir et de l'institution.

1. Les personnes

Ce sont les élèves et les enseignants hétérogènes face aux contenus et aux processus d'apprentissage.

Les élèves sont hétérogènes par leurs modes d'appropriation et par leurs résultats dans les apprentissages proposés.

Les enseignants sont hétérogènes par leurs pratiques pédagogiques et leurs programmes.

2. Le savoir

L'institution le définit dans les programmes. Les enseignants le traduisent en objectifs de formation cognitifs (objectifs de connaissance ou de savoirs), méthodologiques (objectifs de méthodes ou de savoir-faire), comportementaux (objectifs de comportement ou de savoir-être).

3. L'institution

Garante de la finalité de l'enseignement, elle est présente dans les programmes et dans les structures.

Selon ce que le formateur privilégiera de ces trois pôles dans l'organisation d'une séquence de pédagogie différenciée pour obtenir la réussite maximale d'un apprentissage, trois dispositifs de différenciation peuvent être mis en place.

1. Carl Rogers, *Le Développement de la personne*, Dunod, 1966.

Les trois dispositifs de différenciation

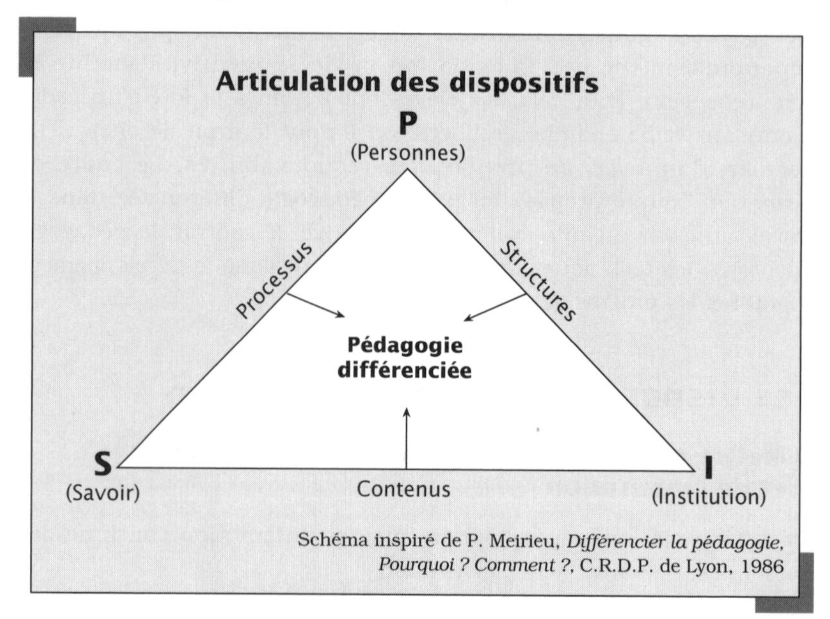

Schéma inspiré de P. Meirieu, *Différencier la pédagogie, Pourquoi ? Comment ?*, C.R.D.P. de Lyon, 1986

1. La différenciation des processus d'apprentissage

Les élèves sont répartis en plusieurs groupes qui travaillent chacun simultanément sur le(s) même(s) objectif(s) selon des processus différents mis en œuvre à travers des pratiques diversifiées de travail autonome : le contrat, une grille d'auto-évaluation formative, un projet...

La différenciation des processus est déterminée par l'analyse préalable, la plus fine possible, de l'hétérogénéité des élèves.

2. La différenciation des contenus d'apprentissage

Les élèves sont répartis en plusieurs groupes qui travaillent chacun simultanément sur des contenus différents définis en termes d'objectifs cognitifs et/ou méthodologiques et/ou comportementaux. Ceux-ci sont choisis dans le noyau commun d'objectifs inventoriés par l'équipe pédagogique ou par l'enseignant, et considérés comme des étapes nécessaires pour que tous accèdent au niveau exigé par l'institution. Les objectifs sont ensuite cernés par un diagnostic initial révélant l'hétérogénéité des réussites et des difficultés.

3. La différenciation des structures

Les élèves sont répartis en plusieurs groupes dans des structures différentes de la *classe* : ce dispositif est nécessaire mais insuffisant.

Certes on ne peut différencier les processus et les contenus sans répartir les élèves en sous-groupes. Mais ce dispositif met en place un cadre qui resterait vide et sans effet sur la réussite des élèves si la pédagogie n'était pas différenciée. Cette carence explique parfois l'échec des groupes de niveau-matière. Il est vrai, cependant, que le simple fait de différencier les structures permet aux élèves de connaître d'autres types de regroupement, d'autres lieux, d'autres animateurs, provoquant de nouvelles interactions sociales et, ainsi, des réactions constructives à l'apprentissage demandé.

Différencier la pédagogie nécessite absolument, dans un premier temps, de différencier les structures puisque l'enseignant ne peut se diviser en autant de précepteurs particuliers qu'il a d'élèves. Même si les conditions locales d'un établissement en ressources humaines et matérielles ne permettent pas de faire éclater la structure classe en d'autres structures à effectifs réduits plus souples et plus modulables, l'enseignant aura, néanmoins, à répartir ses élèves en sous-groupes ayant chacun une tâche différente. Le cadre facilitateur ainsi posé se nourrit alors de la différenciation des processus ou de celle des contenus. La différenciation des contenus est utile à organiser pour apprendre à travailler en équipe et à élaborer des diagnostics fins d'évaluation formative. Il n'en reste pas moins urgent de considérer qu'une *pédagogie différenciée authentique* est celle qui est fondée sur la *différenciation des processus d'apprentissage* des élèves et qui passe, pour atteindre ce but, par l'organisation plus ou moins diversifiée et variée des *processus d'enseignement* : un des axes de ce livre consiste à défendre cette idée. Il est souhaitable de combiner les trois dispositifs pour conduire les élèves au maximum de leurs capacités et les accompagner vers la réussite : les élèves, répartis dans des structures différentes, travaillent selon des processus et sur des contenus différenciés.

Les conditions de sa mise en œuvre

Le travail d'équipe 18
La concertation 19
La gestion souple de l'emploi du temps 21
L'information régulière de tous les partenaires 22
Les problèmes à résoudre 25

Les conditions de mise en œuvre sont au nombre de quatre : le travail d'équipe, la concertation, la gestion souple de l'emploi du temps et l'information régulière de tous les partenaires.

Ces quatre conditions essentielles représentent des changements dans les structures et les mentalités réalisables sans grands bouleversements ni moyens supplémentaires démesurés, si bien que ni la peur d'une *révolution* à l'école ni le manque de moyens ne peuvent servir d'alibis à l'immobilisme. Un climat ouvert, une bonne volonté commune aux enseignants et à l'administration favorisent, certes, ces aménagements. Mais dans les cas assez fréquents de situation bloquée et conflictuelle ou d'inertie et de repli désabusé, un travail en pédagogie différenciée sur une seule classe, dans un temps limité, avec un ou deux professeurs simplement, peut entraîner d'autres enseignants et créer une dynamique de rénovation.

Il faut être patient, bien sûr, et accepter de se donner le temps de réussir puisqu'un établissement scolaire est un système avec ses règles institutionnelles, ses normes, ses buts, communs ou divergents, ses sous-groupes (élèves, enseignants, administration...), ses leaders, ses clans où les résistances et les peurs sont parfois aussi fortes que les désirs d'innover.

Le travail d'équipe

Le travail d'équipe est la condition vitale pour assurer une durée suffisante à la réalisation des objectifs de la pédagogie différenciée. On abandonne souvent des innovations menées en solitaire. Des enquêtes auprès d'enseignants ayant procédé seuls à des innovations ponctuelles ont en effet montré qu'ils avaient tendance à en oublier la richesse et l'intérêt, même si leurs actions étaient positives, à se décourager et à les abandonner. Souvent, au retour d'un stage, des enseignants pleins d'enthousiasme et de bonne volonté décident de changer leurs pratiques. Quand ils échouent, faute de l'aide d'une équipe, ils s'en trouvent encore plus découragés.

La quantité de travail nécessaire à la mise en œuvre de la pédagogie différenciée dépasse les possibilités d'un individu isolé. Il faut élaborer un minimum d'outils : inventaire d'objectifs, tableau de progression, évaluation-diagnostic des difficultés des élèves, bilans en fin de séquence, fiches de travail autonome variées et adaptées aux différents processus d'apprentissage. Comment préparer tout cela seul ?

Enfin, la dynamique de groupe montre qu'un travail est plus efficace et plus rapide effectué en groupe, le groupe restreint de trois à douze participants étant d'une efficacité optimale[1] : ici, l'interaction des membres de l'équipe permet la clarification des objectifs et une plus grande créativité dans l'élaboration des séquences.

La concertation

Travailler en équipe est donc nécessaire, mais ce désir peut se diluer aux premiers conflits, inévitables au début, aux premières épreuves avec l'administration, aux premiers obstacles ou désillusions avec les élèves, s'il ne s'appuie pas sur le cadre solide d'une concertation régulière, reconnue par l'institution.

Ce livre n'est pas le lieu pour mener un débat sur ce sujet, toutefois mes dix-huit ans d'expérience des concertations me permettent d'affirmer qu'elles prennent en fin de compte assez peu de temps sur la vie privée (une à deux heures par semaine) et qu'elles donnent des satisfactions et des joies importantes. L'efficacité de l'élaboration collective des outils nécessaires et les réussites qu'elles entraînent ainsi compensent largement le temps *perdu.*

Pour que la concertation soit efficace, il est intéressant de participer en équipe (les candidatures collectives étant possibles) à des stages de conduite de réunion et/ou d'élaboration de projet de pédagogie différenciée que proposent les MAFPEN dans leurs plans académiques annuels de formation. Par ailleurs, il est essentiel d'adopter dès le début une stratégie structurante.

1. D. Anzieu et J.-Y. Martin, *La Dynamique des groupes restreints*, PUF, collection «Le psychologue», 1968.

Fiche 1

La stratégie du travail en équipe et la concertation

Pour organiser une concertation, l'équipe doit se déterminer sur cinq points.

1. Le lieu
Aménagé avec des tables disposées en cercle ou en «U», configuration favorisant une discussion démocratique.

2. La date, la durée, la périodicité
Une heure hebdomadaire est un minimum pour une réflexion suivie d'action, mais lorsqu'une équipe démarre, elle n'est plus suffisante et il est souhaitable de globaliser quelques heures en demi-journée, les premières semaines, pour mettre au point le long travail de réflexion sur les objectifs, préalable à toute séquence de pédagogie différenciée.

Quelle que soit la durée, la concertation sera d'autant plus efficace qu'elle sera courte et sa limite précisée à l'avance et respectée. L'idéal est qu'une plage libre soit dégagée dans l'emploi du temps des membres de l'équipe et qu'elle ne soit pas placée trop tard : les concertations disciplinaires, par exemple, sont possibles lorsque des cours sont alignés comme dans le modèle ci-après où une équipe de trois professeurs A, B, C, d'une discipline, ont cours à la même heure dans des classes parallèles ; ce léger aménagement ne demande aucun moyen supplémentaire, si ce n'est des salles disponibles et de l'astuce ! ...

Exemple d'emploi du temps

	A	B	C
8 h à 9 h	6ᵉ 1	6ᵉ 2	6ᵉ 3
9 h à 10 h	6ᵉ 4	6ᵉ 5	6ᵉ 6
10 h à 11 h		CONCERTATION	
11 h à 12 h	4ᵉ 1	4ᵉ 2	4ᵉ 3

3. Les objectifs généraux de la concertation sur l'année

4. L'ordre du jour
Pour chaque réunion, il est souhaitable d'en avoir rédigé l'ordre du jour lors de la séance précédente et de s'engager à être l'animateur de la concertation à tour de rôle.

5. L'animateur
Il est très important et plus efficace qu'à chaque séance un responsable serve de coordonnateur et de référent ; celui-ci devra être remplacé régulièrement pour éviter la passivité dans le groupe. Il vérifiera régulièrement auprès de chaque membre de l'équipe, lorsqu'une étape vient d'être bouclée, que les suggestions, les décisions prises, la répartition des tâches et leur progression dans le temps sont réellement acceptées. Ces moments seront souvent l'occasion de clarifications très utiles pour la dynamique des concertations futures[1].

1. Voir R. Mucchielli, *Le Travail en équipe*, E.S.F., 1978, et *Pratiques* n° 31, octobre 1981, *Travail en équipe*.

La gestion souple de l'emploi du temps

La rigidité de l'emploi du temps traditionnel représente un obstacle important : différencier les contenus et les processus exige de structurer le temps autrement pour l'adapter aux apprentissages proposés en modulant plus librement la durée des cours.

Pourquoi garder toujours l'heure comme mesure *sacrée* ? Sans base scientifique qui la justifierait comme *bonne* durée pour une activité pédagogique, elle ne correspond pas davantage aux rythmes de l'enfant et de l'adolescent. L'ancien ministre de l'Éducation nationale, Alain Savary, plaçait en premier, dans son projet de rénovation pédagogique, le séminaire national de formation sur *«la mise en œuvre des formes souples d'emploi du temps scolaire»*(1) et de nombreux textes officiels incitent à aménager le temps scolaire, particulièrement la circulaire n° 82-230 du 2 juin 1982. Elle propose des exemples de gestion souple en précisant : *«Il est très souvent possible de jouer sur l'organisation de la journée scolaire, de la semaine ou de la quinzaine, pour susciter motivation et intérêt. C'est pourquoi les chefs d'établissement et les enseignants doivent être convaincus que toute initiative dans l'organisation du temps scolaire est admise...»*

Si, pour faire aboutir son projet de pédagogie différenciée, une équipe volontaire et motivée se constitue et se concerte sur les objectifs et les moyens, elle doit envisager la gestion souple de l'emploi du temps et la faire accepter, celle-ci étant la condition de base de la différenciation des structures qui permet celle des contenus et des processus ! L'autonomie de l'équipe est un facteur clef. Elle se constitue elle-même, organise ses travaux, son emploi du temps et se répartit les groupes d'élèves. Le chef d'établissement intervient pour faciliter leurs démarches, conseiller et aider dans la mise en œuvre du dispositif.

Les obstacles à la gestion souple du temps scolaire

1. **Le refus du chef d'établissement** de laisser une équipe pédagogique participer à l'élaboration de l'emploi du temps, même lorsqu'elle le fait à partir d'un projet solide et cohérent.
2. **L'attitude de certains chefs d'établissement** qui peuvent impulser une gestion souple par une démarche démocratique d'écoute et de collecte d'informations ou la freiner, souvent par peur des *vagues*, situations que des enseignants connaissent, hélas !

1. Un module élaboré par l'I.N.R.P. sur ce thème est disponible. Voir aussi B.O. n° 1, spécial rentrée 1983 du 13.01.1983 (p. 32), B.O. n° 13 du 31.03.1983 (p. 1193) et circulaire du 28.01.1991 sur les 4e de pédagogie différenciée et de contrat.

L'information régulière de tous les partenaires

Un projet pédagogique peut échouer si des informations sur son contenu, ses objectifs et son déroulement ne sont pas transmises à tous les partenaires concernés : élèves surtout, parents, professeurs et équipe administrative.

L'information des élèves

Vouloir informer avant tout les élèves des projets pédagogiques peut paraître surprenant, mais cela est nécessaire, car les pratiques novatrices de pédagogie différenciée déstabilisent. Elles modifient les habitudes acquises par les élèves au cours de leur scolarité dans des domaines aussi essentiels que leurs attitudes de vigilance (passivité, fuite dans le rêve, ou activisme et agitation), leurs méthodes de travail et, surtout, leurs modes de relation aux autres.

Pour être constructive et pour éviter qu'elle se transforme en une perturbation psychologique si angoissante qu'elle bloquerait le désir d'apprendre, cette déstabilisation doit être canalisée. Une seule solution : donner la règle du jeu aux élèves, c'est-à-dire leur présenter clairement, avec simplicité et franchise, les objectifs du projet, les moyens envisagés pour les atteindre, les contenus et, pourquoi pas, les obstacles que pourraient rencontrer, ensemble, élèves et enseignants. La pratique des groupes de niveau est améliorée lorsque les élèves savent pourquoi ce type de répartition existe et sur quels critères elle se fait (voir l'exemple ci-contre). L'idéal est de donner cette information dès la rentrée, car beaucoup d'éléments de la réussite scolaire se jouent alors.

Il est souhaitable ensuite d'analyser le déroulement du projet par un bilan et une mise au point, pendant la préparation du conseil de classe, par exemple, ou les explications des notes et des appréciations. Cette démarche, simple et rapide, prépare ainsi l'élève à se prendre en charge, comme l'a montré l'expérimentation du contrôle continu en lycée professionnel où l'information sur les *référentiels* constituait déjà une formation.

L'information des parents

Elle est presque aussi importante que celle des élèves, car, si les parents sont informés, ils peuvent avoir un impact positif sur la scolarité de leurs enfants à condition d'abandonner l'attitude, assez fréquente, de défensive à leur égard.

Les tentatives effectuées dans ce sens sont souvent décevantes du fait de l'incompréhension mutuelle et de malentendus. L'information, il est vrai, ne se fait pas dans les meilleures conditions. Le projet est communiqué au pire en début d'année lors d'une assemblée générale,

Au collège du Parc de Sucy-en-Brie (Val-de-Marne) où se pratiquaient les groupes de niveau en français, anglais, maths, histoire-géographie, EPS, cette information aux élèves était transmise en plusieurs étapes.

En juin, en réunion avec les futurs élèves de 6e et leurs parents, les points suivants étaient présentés :

– la répartition des élèves, après la Toussaint, en trois groupes de niveau appelés lents, moyens et rapides ;

– le but de ce type d'organisation : permettre à chacun de progresser et d'accéder au niveau supérieur grâce à la prise en compte de son rythme d'acquisition et de ses résultats ;

– les critères choisis pour répartir les élèves ; ces critères sont : les moyennes combinées aux résultats des tests effectués dans chaque discipline concernée, les indications des enseignants sur les comportements pour éviter le renforcement d'attitudes néfastes au travail ou, au contraire, pour s'appuyer sur la bonne volonté et le sérieux montrés par un élève pour lui permettre d'aller dans un groupe supérieur à ses résultats ;

– le fait de pouvoir changer de groupe, une à deux fois par trimestre, si leurs résultats s'améliorent ou baissent.

Les premiers jours de la rentrée un enseignant par classe expliquait en détail les points exposés ci-dessus en répondant aux questions que le projet suscitait.

En cours, le professeur concerné reprenait ces informations avant et après les tests pour en communiquer les résultats.

En séance de tutorat, les tuteurs réexpliquaient parfois un des aspects de ce système lorsqu'un élève évoquait ses difficultés ou disait qu'il n'avait pas compris l'intérêt pour lui d'être dans tel ou tel groupe.

au mieux pendant des réunions plus restreintes par niveau ou par classe. Les parents trouvent alors face à eux des représentants des enseignants et de l'administration, soudés, précédés par le *chef* d'établissement, qui utilisent une langue peu accessible et peu éclairante sur les situations pédagogiques que vivront leurs enfants.

Le schéma *dominant-dominé*, fréquent, plus ou moins consciemment vécu dans la classe, se retrouve dans ce type de communication aux parents. Il serait plus efficace de les informer par des voies plus personnalisées. Un court bulletin mensuel ou bi-trimestriel pourrait

Des enseignants organisèrent pour les parents d'une classe de 3e[1] une réunion d'information. Des groupes de parents, élèves, enseignants, devaient répondre par écrit pendant vingt minutes aux deux questions suivantes : «Quand mon enfant (ou mon élève, ou moi) réussit-il ou éprouve-t-il des difficultés à l'école, et comment cela se manifeste-t-il ?» La synthèse des réponses, effectuée ensuite par des enseignants-animateurs, a fait l'objet d'un débat au cours duquel des parents s'exprimèrent avec ardeur. La réunion-diagnostic, ici, a aidé les enseignants à découvrir et à comprendre certaines raisons des difficultés de leurs élèves, qu'ils n'auraient pu connaître autrement.

1. In *Copillage* n° 4, juin 1985, revue G.F.E.N. du secondaire. G.F.E.N. : Groupe français d'éducation nouvelle, 6, avenue Spinoza, 94200 Ivry.

les éclairer sur la vie de l'établissement et sur les projets pédagogiques spécifiques. Des *réunions-diagnostic* en début d'année et des *réunions-bilan* en fin de trimestre pourraient être animées selon des techniques de groupe.

■ L'information des professeurs et de l'administration

Dès que l'on met en place des démarches nouvelles, il arrive de se heurter à l'incompréhension, parfois même au rejet et aux ricanements des collègues ou de l'administration. Pourtant, sans se décourager, continuer à informer par tous les canaux disponibles est efficace à moyen et à long terme.

Fiche 2

Quelques outils de communication interne

- Affichage de propositions et de questions en salle des professeurs.
- Information individuelle à l'aide de papiers informatifs dans les casiers des professeurs.
- Animation d'une commission de réflexion sur le projet envisagé.
- Présence active au conseil d'administration pour le faire connaître et voter.
- Entrevues avec l'administration pour l'informer et la convaincre, car d'elle dépendent l'aménagement de l'emploi du temps et d'une concertation, ainsi que l'octroi de moyens supplémentaires éventuellement nécessaires.
- Présentation en conseil des professeurs ou en conseil de classe d'un outil pédagogique nouveau : grille d'évaluation formative, questionnaire d'auto-évaluation sur les comportements, schéma d'emploi du temps souple...
- Proposition de transformer le bulletin trimestriel.
- Circulation d'un court compte rendu de stage sous la forme d'un polycopié ou d'une brochure élaborée sur ordinateur.

Les problèmes à résoudre

La mise en œuvre des objectifs et des dispositifs de la pédagogie différenciée constitue une entreprise difficile et complexe, qui présente certains dangers. Pour les éviter, des changements dans les structures autant que dans les mentalités seraient nécessaires.

Parmi les dangers susceptibles d'empêcher la pleine réussite du projet pédagogique figurent le risque de reconstituer des filières, le mythe identitaire, la hantise des examens, le trop grand respect de l'emploi du temps, la crainte de l'institution et des pressions sociales.

La reconstitution des filières

Le premier danger est la *perversion* de la différenciation selon une dérive, à forme variable, vers une ségrégation renaissante entre *bons* et *mauvais* élèves par l'attribution des étiquettes *lents* et *rapides*, *concrets* et *abstraits*, *doués* à l'oral ou à l'écrit, etc., ce qui permet de faire le tri selon des critères apparemment légitimes pour enseigner dans une classe jugée peu supportable autrement.

Être attentif à la répartition des élèves en sous-groupes hétérogènes et à leur mobilité permet d'éviter ce danger.

Le mythe identitaire

Considérer tous les élèves comme *égaux*, entendu comme identiques, relève du mythe et non de leur réalité de personnes différentes par leurs capacités et leurs manques, leurs compétences et leurs lacunes, leurs origines géographiques et sociales.

Aussi, le maintien de ce mythe identitaire à l'école représente-t-il un véritable obstacle à la réalisation même de la pédagogie différenciée, puisqu'il s'oppose entièrement aux principes qui la fondent.

La référence trop fréquente et anxieuse aux examens

Même si l'une des fonctions sociales des enseignants est de préparer tous les élèves à s'y présenter, s'aligner de façon presque

En 1966, Pierre Bourdieu[1] écrivait : «Pour que soient favorisés les plus favorisés et défavorisés les plus défavorisés, il faut et il suffit que l'école ignore dans le contenu de l'enseignement transmis, dans les méthodes et les techniques de transmission et dans les critères de jugement, les inégalités culturelles entre les enfants...»
Bernard Charlot[2] dénonçait aussi avec vigueur le traitement pédagogique faussement égalitaire qui sert souvent d'alibi pour classer et sélectionner les élèves, accentuant alors l'inégalité scolaire.

1. Pierre Bourdieu, «L'École conservatrice, l'inégalité sociale devant l'école et devant la culture», in *Revue française de sociologie* n° 3 (p. 325-347), 1966.
2. B. Charlot, *L'École aux enchères*, «Petite bibliothèque Payot», n° 360, 1979.

obsessionnelle sur un futur examen accroit la rigidité des normes exigées en les mettant ainsi en difficulté. Cette attitude est contraire au principe de l'adaptation modulable de l'enseignement aux élèves tels qu'ils sont et non tels qu'ils devraient être.

■ Le respect étouffant de la structure traditionnelle de l'emploi du temps

Le fait que l'ensemble du corps enseignant, administration comprise, se contraigne à respecter l'emploi du temps, *saucisson* découpé en tranches horaires identiques, étouffe souvent l'innovation pédagogique et rend très difficile la différenciation puisque celle-ci nécessite la variation des durées consacrées aux apprentissages.

■ La crainte de l'institution et la pression sociale

Quel enseignant n'a pas eu le *trac* en apprenant qu'il allait être inspecté, noté et jugé ? Quel est celui qui n'a pas vécu cette situation comme infantilisante ? Et pourtant la crainte de *ne pas finir le programme* et la soumission, plus ou moins intériorisée, à cette pression de l'institution, empêche de moduler les contenus, alors que la majorité des enseignants, lorsqu'ils sont interrogés, en stage par exemple, sur leurs objectifs, souhaitent disposer de cette possibilité pour apprendre à leurs élèves l'autonomie !

Il faut résister aussi parfois aux pressions sociales exercées par les parents, les élèves, les partenaires extérieurs, qui ont tous des jugements bien ancrés, souvent stéréotypés sur la scolarité et la notation entre autres, susceptibles d'entraver la mise en œuvre de la différenciation.

■ La tentation d'allonger la durée des cours pour les élèves en difficulté

Cette réaction, certes légitime, est fréquente chez les enseignants préoccupés par leurs élèves en difficulté. Ils justifient ce choix en disant qu'il faut à ces élèves plus de temps qu'aux autres pour comprendre, mémoriser et progresser. Cette stratégie aura d'autant moins d'efficacité, si les heures ajoutées ne sont que la reprise plus ou moins déguisée du cours.

Des études[1], menées parfois depuis le XIXe siècle, sur les possibilités d'attention des enfants et des adolescents montrent que leurs possibilités physiques, nerveuses et intellectuelles ont des limites à ne pas dépasser si l'on veut sauvegarder leur intégrité physique et mentale.

Si un élève éprouve des difficultés allant jusqu'au dégoût et au rejet, ce n'est pas en lui donnant une *portion* supplémentaire qu'il progressera. Au contraire !

1. G. Vermeil, *La Fatigue à l'école*, E.S.F., 1977.

La méthodologie d'ensemble

Les préalables nécessaires 27
L'organisation de la séquence de pédagogie différenciée 28

La mise en place d'une séquence de pédagogie différenciée se déroule selon une méthodologie rigoureuse. Elle requiert cinq étapes préalables qui demandent un temps assez long de réflexion et de préparation.

Les préalables nécessaires

■ Le choix des classes et des matières

Où sera mise en œuvre la pédagogie différenciée ? Il est plus prudent de choisir un seul niveau de classe pour y concentrer toutes les énergies, mais le choix des matières peut être disciplinaire ou pluridisciplinaire.

■ L'inventaire des objectifs généraux

Cet inventaire s'effectue en les classant en objectifs de savoir, savoir-faire, savoir-être, à partir des programmes de la classe choisie. On procède également à l'élaboration du tableau de leur progression sur l'année.

■ La détermination du dispositif de différenciation

Elle se fait suivant deux critères que les enseignants choisissent en fonction de leur disponibilité et de leurs compétences.

1. Le temps disponible

La différenciation des contenus est efficace sur une durée courte, alors que la différenciation des processus nécessite une durée plus longue.

2. Le degré de maîtrise de la méthodologie

Lorsqu'un enseignant ou une équipe pédagogique débutent dans cette démarche, il est préférable de choisir la différenciation des contenus car, plus facile à mettre en place, elle favorise la maîtrise progressive des différentes étapes, même si la différenciation des processus donne plus de chances de progresser au plus grand nombre d'élèves.

■ L'élaboration d'un diagnostic initial

Cette étape est fondamentale. Si elle n'existe pas, il est préférable de ne pas pratiquer de pédagogie différenciée, puisque la différenciation ne peut s'opérer qu'à partir de la collecte d'informations les plus complètes, les plus nombreuses et les plus précises possibles sur les différences de réussite des élèves dans l'acquisition d'un savoir, d'un savoir-faire ou d'un savoir-être, d'une part, et sur les différences de processus d'appropriation, lors de ces acquisitions, d'autre part.

Cette collecte constitue le diagnostic initial de toute séquence. Le terme de *diagnostic* est utilisé sans connotation pathologique, qui ferait d'un élève un cas à traiter, mais au contraire comme un éclairage sur ses erreurs, indicatrices d'une étape de développement dans un apprentissage donné. Ce diagnostic initial est un véritable tableau de bord pour conduire la différenciation, car il permet de cerner la variété des besoins des élèves et de mieux y répondre.

■ Le choix et l'aménagement des structures adéquates

Ils ont pour but de rendre possible la différenciation pédagogique et ils s'effectuent en fonction des moyens humains et matériels de l'établissement scolaire tel qu'il est.

L'organisation de la séquence de pédagogie différenciée

Elle se déroule selon quatre opérations.

■ Fixer les objectifs

Parmi les objectifs figure le noyau commun que tous les élèves doivent atteindre dans cette séquence.

■ Préciser les limites de la séquence

Il s'agit de trois limites essentielles qu'il est judicieux de clarifier avant de commencer à prévoir le contenu d'une séquence : sa durée, sa norme de réussite et sa place dans la progression pédagogique générale.

1. Sa durée

Très variable, allant d'une demi-heure à plusieurs heures, elle dépend des contraintes de l'horaire imparti aux matières concernées, des contraintes du programme sur toute l'année, de la norme de réussite. Si cette norme n'est pas atteinte, la séquence devra être prolongée pour reprendre les points non maîtrisés.

2. Sa norme de réussite

Elle est constituée par le pourcentage d'élèves ayant atteint le noyau commun qui fera considérer la séquence comme réussie et à partir duquel d'autres séquences pourront être envisagées ultérieurement. Elle, aussi, est variable et se détermine en fonction de plusieurs paramètres :

• Les élèves, leur niveau, leur motivation, leurs attitudes, etc.

• Le moment dans l'année : les exigences des enseignants évoluent au fil de l'année si bien qu'une séquence sera considérée comme réussie le premier mois avec 30 % des élèves ayant réalisé les objectifs fixés, alors qu'en juin il faudra 75 % des élèves, par exemple.

• La complexité plus ou moins importante des apprentissages visés : la barre sera plus haute, par exemple, si l'apprentissage proposé est simple et ne fait pas appel à une formalisation trop grande.

• Les possibilités de revenir aux objectifs mal acquis à un autre moment et sous une autre forme. Ces possibilité doivent être précisées et prévues à l'avance en même temps qu'est fixée la norme de réussite.

Un diagnostic initial révèle que, pour 60 % des élèves d'une classe de 6e, la notion de «tropique» n'a pas été comprise. Que faire ?

L'enseignant peut choisir d'y revenir, mais le programme et l'horaire qui le talonnent, les autres élèves qui ont compris l'en empêchent.

Il peut aussi, acceptant cette norme modeste de réussite (40 %), décider d'expliquer plus tard sous des formes différentes et, surtout, plus concrètes.

Ce choix repose :

– sur le constat d'une maturation biologique et intellectuelle chez tout adolescent, quel que soit son stade de développement, comme l'ont montré les psychologues J. Piaget *(op.cit.)* et Erik Erikson[1] ;

– sur l'idée qu'une notion abstraite est comprise de façon formelle ou alors par un cheminement allant de la saisie d'une réalité sensible, à travers des impressions et des émotions, par étapes progressives et cadrées, à une conceptualisation. Dans ce cas, à l'occasion d'un cours sur le climat désertique, la projection d'un film décrivant plusieurs paysages, situés le long du tropique du Cancer, devrait permettre aux élèves en difficulté de comprendre la notion de tropique et de les présenter concrètement sur une carte.

3. Sa place dans la progression pédagogique générale

• Questions avant la séquence

Pour mieux évaluer ses résultats, il faut s'interroger sur ce qu'il y a eu avant la séquence : à la suite de quels types de cours, quels objectifs, quels prérequis, quelles situations (un voyage, une sortie, un contrôle, un conflit, etc.) se situe-t-elle ? Et surtout, est-elle là pour remédier aux difficultés rencontrées par les élèves au cours des apprentissages précédents ou pour aborder des apprentissages nouveaux ? Son organisation ne sera pas la même selon les réponses apportées.

• Questions après la séquence

Pour mieux profiter de ses résultats, il faut s'interroger sur ce qu'il y aura après la séquence : comment sera-t-elle évaluée ? Aura-t-elle une

1. Erik Erikson, *Enfance et société*, Delachaux et Niestlé, 1976.

suite ? Quand ? Comment ses acquis seront-ils repris, réactivés, consolidés par les cours suivants et sous quelles formes ?

Organiser le contenu de la séquence

Il est nécessaire d'en déterminer les stratégies, les outils, les supports et les tâches à effectuer.

1. Les stratégies

2. Les outils
Travail autonome ? auto et co-évaluation formative ? contrat ? travail selon des techniques de groupe ? pédagogie du projet ?

3. Les supports
Textes ? documents iconographiques ? audio-visuels ? l'informatique ? les journaux ? le théâtre ? une sortie ?

4. Les tâches à effectuer
Affiches ? production matérielle ? dossier ? rédaction ? sketch ? leçon à apprendre ? organisation d'une visite ?

Effectuer l'évaluation-bilan de la séquence

La séquence choisie doit se terminer par une évaluation-bilan des acquis pour vérifier si la mise en œuvre d'une pédagogie différenciée a fait progresser les élèves dans l'appropriation et la maîtrise des objectifs fixés au départ. Pour cela, il faut réutiliser, parfois sous une autre forme, la grille d'évaluation qui a servi au diagnostic initial pour être certain d'évaluer réellement les objectifs visés par la séquence, et pour éviter aussi la dérive assez fréquente consistant à évaluer les élèves, au début, sur des critères implicites, qui s'ajoutent au contrôle final.

Cette évaluation-bilan participe pleinement à la réalisation des objectifs généraux de la séquence, définis dans la première étape. Elle permet de savoir avec précision si la norme de réussite est atteinte et de quelle façon.

Puisqu'elle cerne les différences de réussite des élèves, elle peut servir de diagnostic initial à une séquence ultérieure et devenir ainsi un moyen d'**évaluation régulatrice** de la progression pédagogique générale lorsqu'elle est enrichie de quelques questions sur les contenus, les méthodes de travail utilisées, les relations enseignants/élèves, les souhaits et les propositions.

Elle a un impact psychologique positif sur les élèves, car ils sont mis en confiance par le repérage précis de leurs acquis. Les points sur lesquels il leur faudra faire des efforts sont présentés comme utiles pour d'autres apprentissages.

Elle a également un impact psychologique positif sur les enseignants. En effet, souvent, faute d'avoir pu effectuer ce bilan, ils restent sur des impressions plus ou moins négatives, sans arguments concrets pour défendre les apports constructifs de la pédagogie différenciée, et ils se découragent. S'ils peuvent, en revanche, s'appuyer de façon détaillée sur cette évaluation-bilan, ils savent où se situent les réussites de leur action pédagogique, s'en trouvent confortés pour continuer et convaincre peut-être des collègues réticents, voire leurs supérieurs hiérarchiques.

Mise en place d'une séquence de pédagogie différenciée

Organisation des préalables nécessaires	Organisation de la séquence
Il s'agit d'une préparation préalable portant sur : 1. le choix des classes et des matières ; 2. l'inventaire des objectifs généraux des matières concernées ; 3. la détermination des dispositifs de différenciation selon le temps disponible et le degré de maîtrise de la méthodologie ; 4. l'élaboration d'un diagnostic initial ; 5. le choix et l'aménagement des structures adéquates.	Il faut : 1. fixer les objectifs ; 2. préciser les limites de la séquence en temps, norme de réussite à atteindre et place dans la progression pédagogique générale ; 3. effectuer l'évaluation-bilan.

Comment élaborer un diagnostic ?

Cette seconde partie présente la méthodologie à suivre pour élaborer le diagnostic initial à toute séquence de pédagogie différenciée. Il porte sur les résultats des élèves dans la réalisation d'objectifs cognitifs, méthodologiques ou comportementaux déterminés par les enseignants.
Même si l'évaluation sommative est évoquée, elle reste insuffisamment riche en informations utiles sur les difficultés auxquelles on veut remédier. Il est préférable d'effectuer ce diagnostic initial selon une évaluation formative dont les modalités de mise en place comprennent :
– la préparation du cadre de la grille ;
– l'élaboration de la grille ;
– le choix du support.

SOMMAIRE

L'élaboration du diagnostic initial 34

Les modalités du diagnostic initial en évaluation formative... 37

Les choix du support pour le diagnostic initial 47

L'élaboration du diagnostic initial

L'évaluation sommative 34
L'évaluation formative 35

La troisième étape préalable à la mise en œuvre de la pédagogie différenciée consiste à élaborer un diagnostic initial portant sur les résultats des élèves et les itinéraires d'apprentissage.

• **L'étude des résultats des élèves** dans la réalisation d'objectifs cognitifs, méthodologiques ou comportementaux, déterminés par les enseignants dans une situation pédagogique donnée devrait permettre d'établir un diagnostic initial utile, particulièrement pour conduire la différenciation des contenus mais s'il s'organise à partir d'une évaluation formative, il offre aussi des informations et des points de repères précis et sûrs pour favoriser la différenciation des processus.

• **L'étude des itinéraires d'apprentissage** suivis par les élèves dans ces acquisitions devrait conduire à un diagnostic initial qui permet alors de mettre en place, de manière plus solide, le premier dispositif de différenciation.

Le diagnostic initial peut être élaboré selon deux types d'évaluation : l'évaluation sommative et l'évaluation formative.

L'évaluation sommative

Actuellement la plus utilisée en France, l'évaluation sommative fait la somme des connaissances, des savoir-faire et des comportements acquis par les élèves à un certain moment ; elle est *ponctuelle* et *normative*, car elle s'effectue selon des contrôles limités dans le temps et élaborés par rapport à des normes fixées en particulier par l'institution. Elle devient une évaluation sociale parce que ses résultats, traduits par des notes en chiffres ou en lettres, suscitent la sélection et l'orientation des élèves.

L'évaluation sommative suffit pour élaborer le diagnostic initial des différences de réussite des élèves dans l'acquisition de connaissances, Elle peut donc être utilisée pour la mise en place d'une séquence portant sur la différenciation des contenus, mais elle est imparfaite pour obtenir des informations plus fines sur les différents degrés de maîtrise des méthodes et des comportements et sur les façons de s'y prendre pour se les approprier. Il est préférable de procéder alors à une évaluation formative dont la richesse permet de mieux cerner les différences de difficultés face à des contenus.

L'évaluation formative

Nous évoquons, pour l'instant, l'évaluation formative uniquement dans le cadre du diagnostic initial.

Appelée aussi évaluation *formatrice*, d'après l'étude menée par M. Genthon[1], lorsqu'elle est pratiquée en auto-évaluation par les élèves eux-mêmes, elle sera présentée plus loin en tant qu'outil de différenciation pédagogique.

Formative, venant de l'anglais, signifie *mettre en forme* les objectifs à réaliser en les décrivant en terme d'activité de l'élève identifiable par un comportement observable.

Ainsi, cette évaluation participe à la formation des élèves pendant qu'elle s'effectue grâce à l'explicitation du déroulement de l'apprentissage exigé. Elle est formative aussi pour les enseignants, car elle leur fournit des données concrètes permettant de contrôler leur pratique pédagogique et de la remettre en question. Elle est fondée sur le principe de l'atteinte ou non par les élèves d'objectifs opérationnels.

Un objectif opérationnel est un objectif défini en terme d'opération à effectuer par l'élève. Dans une classe de 6e, par exemple, en français, un objectif général méthodologique : *savoir écrire une rédaction*, et l'un de ses objectifs intermédiaires : *savoir rédiger une introduction* ont été déterminés pour le premier trimestre, ce qui correspond aux deux premières étapes de la différenciation. L'un des objectifs opérationnels pourra être : «Au début de la rédaction, écrire une phrase avec un sujet, un verbe, un complément et une subordonnée qui en présente le sujet.» L'opération que les élèves de cette classe doivent réaliser ici est d'écrire cette phrase telle qu'elle est décrite dans la consigne.

L'évaluation d'objectifs opérationnels permet un diagnostic initial fructueux qui cible avec clarté *où* et *quand*, lors du déroulement de l'apprentissage, un élève a buté contre un obstacle et a éprouvé des difficultés.

Véritable film d'une classe en train de travailler, l'évaluation formative est un excellent outil de maîtrise de l'enseignement. Elle montre les écarts réels entre les élèves et l'objectif visé. Elle confronte leurs

1. Michèle Genthon, Centre de recherche en psychologie de l'éducation, Université de Provence, 29, avenue R. Schuman, 13621 Aix-en-Provence Cedex, 1984.

acquis effectifs à ce qu'ils devraient être et suggère alors une intervention différenciée de l'enseignant.

Tout en constituant une véritable formation, elle n'en reste pas moins une évaluation, c'est-à-dire un jugement de valeur, mais plus nuancé que l'évaluation sommative, et surtout plus modulable. Elle est en effet établie sur des **critères de réussite** qui marquent les **niveaux de performance** exigés à partir, bien sûr, des normes institutionnelles données par les programmes, mais qui se transforment en fonction de l'évolution des élèves dans l'acquisition des apprentissages proposés.

Pour élaborer un diagnostic d'évaluation formative, deux orientations, tenant compte des interactions à l'intérieur du système de formation, sont possibles :

L'évaluation formative dans une perspective néobehavioriste

Le recueil d'informations porte sur les *résultats* des élèves dans l'appropriation d'un contenu.

L'évaluation formative dans une perspective néobéhavioriste :

Selon Bloom, Gagné, Glaser, l'évaluation formative doit s'effectuer en comparant les performances des élèves à des critères pré-établis dans le cadre d'une pédagogie de la maîtrise des objectifs. C'est une évaluation critériée pour laquelle la description objective des conditions internes et externes de l'apprentissage est primordiale. Les activités pédagogiques qui en découlent sont donc orientées surtout sur la structuration de l'environnement par manipulation de ces variables.

L'évaluation formative dans une perspective cognitiviste

Le recueil d'informations porte également sur les résultats, mais aussi, sur les **processus d'apprentissage.** L'évaluation s'effectue davantage sur les procédures suivies par l'élève.

Le choix méthodologique de ce guide est de combiner ces deux perspectives pour obtenir un diagnostic initial riche en multiples possibilités d'utilisation.

L'évaluation formative dans une perspective cognitiviste :

Elle s'inspire des travaux psycho-pédagogiques de Piaget et de Bruner sur l'apprentissage par la découverte et la résolution de problèmes. Elle met l'accent sur les informations concernant le fonctionnement cognitif de l'élève et sur le caractère de ses processus d'apprentissages plutôt que sur la correction des résultats. Les erreurs sont considérées comme particulièrement instructives car elle révèlent les représentations et les procédures utilisées par l'élève pour réaliser une tâche. L'évaluation formative cognitiviste cherche à pousser l'élève à élaborer des stratégies nouvelles par la découverte des éléments importants de l'apprentissage.

Les modalités du diagnostic initial en évaluation formative

La préparation du cadre de la grille d'évaluation 37
L'élaboration de la grille d'évaluation 42

Lorsqu'on a choisi le diagnostic initial en évaluation formative, deux modalités sont à suivre : la préparation du cadre dans lequel la grille d'évaluation formative sera élaborée et l'élaboration de la grille d'évaluation.

La préparation du cadre de la grille d'évaluation

Une grille de diagnostic initial selon l'évaluation formative exige, au préalable, la préparation d'un cadre clairement délimité selon les quatre étapes suivantes :

■ Déterminer des conditions favorisant le travail de diagnostic

Cette détermination consiste à :

– se donner le temps de la concertation pour mener la réflexion sur les objectifs opérationnels, base de l'évaluation formative, et cerner les investissements nécessaires en énergie, en temps et en moyens matériels tels que salles, papier, photocopies, etc. ;

– préciser la (les) classe(s) et le moment où se fera le diagnostic en vérifiant que les choix effectués auparavant sont toujours acceptés et, éventuellement, les réaménager.

■ Choisir deux ou trois objectifs généraux de la séquence

Ce choix s'effectue dans l'inventaire élaboré lors de la seconde étape.

Découper les objectifs et les hiérarchiser en objectifs intermédiaires

Appelés aussi sous-objectifs, étapes, objectifs spécifiques, contenus, ils représentent le **programme-noyau** des pré-requis de la matière que tous les élèves doivent acquérir pour progresser et passer dans la classe supérieure ou réussir un examen final.

La hiérarchisation de ces objectifs intermédiaires peut suivre plusieurs **stratégies** :
- partir du simple vers le complexe ou l'inverse ;
- partir du concret vers l'abstrait ou l'inverse ;
- partir de l'analyse vers la synthèse ou l'inverse ;
- utiliser un cadre chronologique.

La **progression inversée** est intéressante à introduire parfois car elle peut correspondre à des processus d'appropriation de certains élèves, et chez les autres, provoquer un *déclic* cognitif qui leur permettra de comprendre[1].

Certains auteurs, Bloom[2] par exemple, ordonnent ces objectifs en *taxonomies* utiles pour l'élaboration d'une grille d'évaluation formative comme le montre le tableau ci-contre où les objectifs cognitifs et méthodologiques de chimie au lycée sont spécifiés et classés par rapport aux contenus d'une partie du programme.

Préciser et planifier les activités pédagogiques par lesquelles les élèves réaliseront ce programme-noyau

Il faut, en effet, préciser quelles activités, quels apprentissages les élèves auront à effectuer pour réaliser les objectifs intermédiaires de la séquence de pédagogie différenciée envisagée et pour, ensuite, être capable de les traduire en objectifs opérationnels.

De plus, leur planification est nécessaire dans le cas où les structures choisies sont souples et permettent la mobilité des élèves, de façon que, répartis autrement, ils trouvent néanmoins une suite à leurs activités précédentes.

L'exemple de la fiche 3 résume les quatre étapes décrites pour la préparation du cadre de la grille d'évaluation.

1. Deux professeurs travaillent ensemble en classe de 5e.

2. Les objectifs généraux de 5e sont inventoriés à partir du programme et définis en termes de huit savoir-faire (1 à 8).

3. Ces objectifs ont été découpés et hiérarchisés en allant du simple au complexe (A à H).

---

1. Une recherche dans ce sens a été entreprise en mathématiques par l'IREM (Institut de recherche sur l'enseignement des mathématiques) de Grenoble, BP 41, 38402 Saint-Martin-d'Hères Cedex.

2. Bloom & coll, *Taxonomie des objectifs pédagogiques*, Tome I : *Domaine cognitif*, tome II : *Domaine affectif*, Presses de l'Université de Québec, Montréal, 1975.

4. Ils ont été planifiés selon des durées variables en fonction de leur difficulté et de la densité des contenus qu'ils représentent. Les activités pédagogiques correspondantes combinent plusieurs objectifs intermédiaires comme le 1 et le 5 à propos de la démographie. Ce tableau a l'avantage de pouvoir être distribué aux élèves en début d'année pour les informer sur le sens des apprentissages qu'ils auront à effectuer durant l'année scolaire.

Table de spécification pour une unité de chimie

Connaissance des termes	Connaissance de faits	Connaissance de règles et de principes	Capacité d'utiliser les processus	Capacité de transposer	Capacité de faire des applications
Atome 1		Loi de Boyle 12			
Molécule 2		Propriété d'un gaz 13			
Élément 3				D'une substance dans un diagramme	Écrire et résoudre des équations adaptées à des situations expérimentales
Composant 4	Gaz diatomique	Théorie atomique 16		22	
Diatomique 5	11	Formule chimique 19		De composants dans une formule 21	28
Formule chimique 6		Hypothèse d'Avogadro 14			23
Nombre d'Avogadro 7		Loi de Gay-Lussac 15			24
Mole 8		Molécule-gramme 18			25
Poids atomique 9			Poids moléculaire 20		26
					27
Poids moléculaire 10		Poids moléculaire 17			29

In Bloom, Hasting et Madans : *Handbook on formative and summative évaluation of student learning*, Mc Graw, New York, 1971, p. 121.

Objectifs généraux méthodologiques

N.B. : Le lecteur peut compléter lui-même les cases blanches.

Je suis capable de :	A	B	C	D
1. Localiser dans l'espace	Sur un planisphère : équateur, tropiques, cercles polaires, continents, océans	Carte historique du bassin méditerranéen	Sur planisphère 1 + les 20 pays les plus peuplés	Sur planisphère le 1 + 3 + les 20 villes les plus peuplées
2. Situer dans le temps	Placer sur une ligne du temps les dates avant et après J.-C.	Rappel 6e : placer Préhistoire, Antiquité, Histoire, (grandes dates)	Connaître et placer les dates pour situer Antiquité + Moyen Âge	Construire une échelle du Moyen Âge avec les grandes dynasties
3. Comprendre et utiliser un texte	Le lire attentivement en entier	Le situer : auteur, date, circonstances...	Définir les mots nouveaux	Formuler l'idée générale
4. Utiliser une légende	Lire une légende simple	Construire une légende simple	Utiliser (lecture et construction) plusieurs éléments de la légende	Croiser deux informations complémentaires
5. Utiliser des graphiques	Lire un diagramme simple (en bâton)	Courbe	Fromage	Transformer, représenter un graphique par un autre graphique
6. Utiliser un diagramme climatique	Lire un diagramme (réponses aux questions)	Construire et lire un diagramme	Comparer deux diagrammes (sans questions)	Traduire des bulletins météorologiques par un diagramme
7. Observer un paysage	Démarche orale : où ? quoi ?	Traduire par un graphique en plan	Traduire par un graphique en courbe	Décrire par écrit les éléments
8. Observer et utiliser un document iconographique				

d'histoire-géographie 5e

Fiche 3

E	F	G	H
Continent américain	Continent africain	Continent asiatique	Planisphère récapitulatif, mais centré sur le Pacifique
Choisir mon échelle pour construire une ligne du temps + événements	Choisir mon échelle et connaître 4 grands voyages	Savoir placer dans l'ordre chronologique des événements hors programme	Grande échelle récapitulative des connaissances de l'année scolaire
Sélectionner les informations utiles à une question donnée	Le traduire en un plan	Le traduire en un résumé	Le traduire en un schéma
Construire avec des informations complémentaires			
Transformer encore autrement	Lire un graphique et le représenter par un texte	Contrôle sur lecture et transformation	Contrôle
Comparer deux paysages semblables	Comparer deux paysages différents	Tirer des conclusions de l'observation	Élaborer un tableau synthétisant l'ensemble des informations

L'élaboration de la grille d'évaluation

Le cadre de la grille d'évaluation formative de diagnostic initial ayant été défini, nous allons voir maintenant comment l'élaborer[1].

■ Choisir quelques objectifs dans la liste d'objectifs intermédiaires découpés, hiérarchisés, planifiés précédemment

Ils constitueront le matériau du diagnostic et de la séquence ultérieure de pédagogie différenciée.

■ Traduire les objectifs choisis en objectifs opérationnels selon quatre étapes

1. Décrire les performances exigées de l'élève en termes d'actions à effectuer. On veillera à utiliser des verbes d'action : préférer, par exemple «*Souligner l'idée principale du texte*» à «*Comprendre le sens du texte*». Dans la fiche 3[2], l'objectif général méthodologique 1 : «*Être capable de localiser dans l'espace*», a été découpé en objectifs intermédiaires. Le premier (A) comprend plusieurs objectifs opérationnels parmi lesquels figurent : «*Inscrire les noms des continents en rouge et ceux des océans en bleu à leurs emplacements respectifs*». Ces deux actions sont les performances attendues par les enseignants de leurs élèves de 5e à un moment précis.

2. Exprimer les objectifs opérationnels dans un langage clair, précis et simple pour être compris des élèves.

Pour cela, il faut être très vigilant à l'explicitation des critères de réussite et *débusquer* les critères implicites en s'interrogeant régulièrement sur les opérations demandées aux élèves, et en vérifiant que leur libellé ne contient pas d'ambiguïté ni de non-dit.

La fiche 4 illustre très bien cette modalité et les dangers à éviter.
– L'objectif général est cognitif et méthodologique : «*Être capable de rédiger une dissertation de français en seconde*».
– L'objectif intermédiaire choisi est «*l'organisation et la cohérence*».
– Il se traduit par douze objectifs opérationnels.

Parmi ces objectifs, la formulation des nos 1, 9, 11, et surtout 12 représente une référence à des critères implicites par l'emploi de termes vagues prêtant à des interprétations trop subjectives qui ne sont pas évidentes pour l'élève, comme *clairement* (n° 1 et 2), *originaux* (n° 4), *longuement* et *idées faciles* (n° 12).

1. Voir R.F. Mager, *Comment définir des objectifs pédagogiques*, Bordas, 1972 et D. Hameline, *Les Objectifs pédagogiques en formation initiale et en formation continue*, E.S.F., 1979.
2. D'après A. de Peretti, *Recueil d'instruments et de processus d'évaluation formative*, I.N.R.P., 1980 et 1983. Deux tomes (250 francs).

Être capable de rédiger une dissertation en français en 2e

Deux objectifs intermédiaires : organisation et cohérence
Douze objectifs opérationnels

Organisation et cohérence	Auto-évaluation	Évaluation
1. Avoir clairement posé le problème dans l'introduction	1 2 3 4 5	1 2 3 4 5
2. Avoir formulé clairement une information	1 2 3 4 5	1 2 3 4 5
3. Avoir distingué exemple et argument	1 2 3 4 5	1 2 3 4 5
4. Avoir utilisé des exemples originaux	1 2 3 4 5	1 2 3 4 5
5. Avoir réussi à ne pas se contredire	1 2 3 4 5	1 2 3 4 5
6. Avoir équilibré les parties et ménagé des transitions	1 2 3 4 5	1 2 3 4 5
7. Avoir traité une idée par alinéa	1 2 3 4 5	1 2 3 4 5
8. Avoir utilisé le vocabulaire avec exactitude	1 2 3 4 5	1 2 3 4 5
9. Avoir utilisé à bon escient les mots de liaison	1 2 3 4 5	1 2 3 4 5
10. Avoir traité le sujet avant la conclusion	1 2 3 4 5	1 2 3 4 5
11. Avoir rédigé la dissertation dans une langue correcte et un style simple	1 2 3 4 5	1 2 3 4 5
12. Ne pas avoir développé longuement des idées faciles	1 2 3 4 5	1 2 3 4 5

Dans toute évaluation, même si c'est légitime, la subjectivité interfère ; il est donc important dans un processus d'accompagnement constructif des élèves dans un apprentissage de clarifier les critères induits par ces termes.

L'expression *idées faciles* (n° 12), par exemple, ne peut servir à l'évaluation que si la notion de facilité a été préalablement définie en cours.

Une grille d'évaluation d'éducation physique et sportive[1] de terminale (fiche 5) illustre aussi cette modalité de simplicité de l'expression et d'explicitation des critères. Ce travail est, en fait, le plus difficile et le plus long dans la préparation du diagnostic initial, et c'est là qu'il y a tout intérêt à constituer une équipe qui se concerte.

Cela permet de clarifier de façon plus efficace les critères implicites, si différents d'un enseignant à l'autre, et d'ajuster les significations que chacun met derrière les mots utilisés. Cette étape est passionnante, enrichissante et très formatrice pour les enseignants, car elle les conduit souvent à réguler autrement leur pratique pédagogique, à découvrir le manque de clarté de leur vocabulaire et les erreurs qu'ils

1. *L'Évaluation en E.P.S.*, SNEP, 76, rue des Rondeaux, 75020 Paris.

Fiche 5

Grille d'évaluation en éducation physique et sportive

Évaluation terminale **Hand-ball**

	Domaine moteur	Domaine de l'implication	Domaine cognitif
Niveau V	• Savoir accélérer le jeu en restant précis. • Savoir feinter et déborder balle en main et enchaîner tir en toutes positions (aile notamment).	• Intervenir spontanément et de façon constructive, dans le groupe ou sur un partenaire pour l'aider à régler un problème ou faire évoluer une situation.	• Savoir inventer une solution à un problème imprévu. • Percevoir, dans et hors le jeu, les points faibles et forts du dispositif adverse et de son équipe et savoir jouer en conséquence.
Niveau IV	• Savoir tirer en suspension par-dessus une défense. • Savoir réaliser des enchaînements (réception + dribble ou passe ou tir ; dribble + passe ou tir...) en mouvement.	• Chercher à créer des situations de jeu favorables. • Savoir passer instantanément d'une tâche à une autre, même si l'enchaînement est imprévu, consécutif à la malchance, l'erreur, voire l'injustice.	• Connaître de façon approfondie le règlement. • Savoir enchaîner des actions de défense ou d'attaque en reprenant sa place ou en permutant quelle que soit la place à laquelle on joue.
Niveau III	• Savoir faire des passes correctes à des partenaires en mouvement. • Savoir jouer sous la pression d'un défenseur.	• Ne pas renoncer à une initiative après un échec. • Ne pas hésiter à s'engager dans une action individuelle (attaque ou défense) au contact de l'adversaire si nécessaire (sans brutalité). • Arbitrer sans se laisser influencer.	• Se placer sans hésiter dans les dispositifs travaillés, en défense (individuelle et zone 2-4) et en attaque. • Savoir effectuer un marquage individuel.
Niveau II	• Savoir réceptionner les balles venant de l'arrière (par rapport au déplacement et à l'orientation) et les jouer sans violation. • Savoir jouer face au but.	• Accepter les décisions (même contestables) de l'arbitre, les erreurs de ses partenaires... et les siennes. • Jouer sans le ballon (pour aider ou pallier le partenaire sans le gêner ou créer démarquages ou démarrages à l'opposé du ballon).	• Connaître les principes de défense de zone et individuelle ; savoir les reconnaître. • Connaître et comprendre les gestes de l'arbitre.
Niveau I	• Savoir tirer sans opposition. • Apprécier correctement les trajectoires de balles en situation de face à face ; réceptionner la balle et la jouer sans violation.	• Participer à l'action du groupe, en attaque comme en défense, même si on n'est pas directement concerné par le ballon. • Faire participer tout le monde sans exclusive mais choisir l'action individuelle quand elle s'impose.	• Connaître les règles fondamentales (lignes, maniement ballon, interventions...) • Reconnaître quand il faut lancer contre-attaque, avancer en dribble, passer, tirer, replier, attaquer le porteur, ressortir...

In *L'Évaluation en E.P.S.*, S.N.E.P., 76, rue des Rondeaux, 75020 Paris, p. 58 bis.

commettent quant au degré de compréhension de leurs démarches explicatives par les élèves.

3. Préciser les conditions matérielles de l'évaluation.
Dans la fiche 3 ce serait : «*Sur le fond de carte muet représentant une planisphère inscrire...*» et «*Vous disposez de quinze minutes pour cela*».

4. Déterminer les niveaux de performance acceptables.
Des niveaux varient selon le profil de la classe, le degré de difficulté de l'apprentissage, le moment dans l'année par rapport à la poursuite des objectifs généraux. Ils sont plus évidents lorsqu'il s'agit d'objectifs opératoires cognitifs et méthodologiques que dans le domaine comportemental où cette fixation de limite est plus aléatoire tout en étant souvent plus subtile.

Toujours dans le même exemple de la fiche 3, les niveaux de performance pourraient être déterminés ainsi :
– Objectif atteint si tous les continents et les océans, les pôles, les tropiques, l'équateur, 8 à 10 pays, 8 à 10 villes sont localisés correctement, soit 32 à 36 éléments à inscrire.
– Objectif moyennement atteint si 20 à 32 éléments sont localisés exactement.
– Objectif insuffisamment atteint si entre 19 et 6 éléments sont localisés.
– Objectif non atteint si moins de 6 éléments sont localisés

Pour illustrer cette démarche d'élaboration d'une grille de diagnostic initial, voici une nouvelle grille (fiche n° 6), construite en stage par une équipe de professeurs de français[1] pour diagnostiquer, tout au long de l'année de 3e, sur six devoirs, à raison de deux devoirs par trimestre, si les élèves ont réalisé l'**objectif général** : «Maîtriser l'expression écrite dans un devoir argumentatif de 3e à travers les **quatre objectifs intermédiaires** suivants : graphie et présentation, communicabilité de la langue, structure et organisation, procédés d'expression, traduits en **vingt objectifs opérationnels.»**

Il existe d'autres expériences de définition d'objectifs opérationnels :
– en biologie[2] où quatre niveaux ont été définis : les buts de la biologie, les objectifs généraux de chaque but, les objectifs spécifiques en 6e (programme de 1972), les activités pédagogiques et les moyens ;
– en mathématiques dans les nouveaux programmes. Des grilles ponctuelles sont publiées de façon disparate dans les autres matières : se référer, pour plus d'informations, aux C.R.D.P.

1. Stage de pédagogie différenciée à Rabat (Maroc) par la MAFPEN de Créteil, 5 rue Georges-Enesco, 94000 Créteil.
2. Astolfi, Host, Coulibaly, *Biologie*, I.N.R.P., 1972.

Fiche 6

Objectif général : maîtriser l'expression écrite dans un devoir argumentatif

Objectifs intermédiaires		Objectifs opérationnels	Devoirs					
			1	2	3	4	5	6
Graphie et présentation	1	Je trace une marge de 3 carreaux						
	2	J'écris lisiblement pour être lu facilement de tous						
	3	Je passe une ligne entre l'introduction, le développement et la conclusion						
Communicabilité de la langue	4	Je note les majuscules et les accents						
	5	Je ponctue le devoir						
	6	J'utilise le dictionnaire pour vérifier les mots nouveaux						
	7	Je vérifie l'exactitude de chaque accord sujet-verbe						
	8	Je vérifie les accords grammaticaux						
	9	Je vérifie que chaque phrase est complète grammaticalement						
	10	Je garde le temps de base et j'utilise la concordance						
Structure et organisation	11	Je respecte le plan demandé dans la consigne						
	12	Je structure chaque paragraphe sur le mode idée, argumentation, exemple						
	13	J'utilise les mots-liens correspondant à la progression des idées						
	14	Je ménage une phrase de transition entre chaque paragraphe						
	15	Dans mon introduction, je rédige l'idée de départ, je reformule le sujet et j'annonce le plan						
	16	Ma conclusion : 1) résume en une phrase ou deux l'essentiel de l'argumentation, 2) ouvre éventuellement à d'autres questions						
Procédés d'expression	17	Je réutilise souvent les champs lexicaux concernant le sujet						
	18	Je construis des phrases variées						
	19	Je varie la nature des substituts (pronoms, périphrases...)						
	20	J'utilise au moins trois procédés stylistiques étudiés						

Le choix du support pour le diagnostic initial

Le support écrit 47
Le support oral 61

La grille d'évaluation formative étant élaborée, l'étape suivante du diagnostic initial consiste à choisir un support dans la quantité de possibilités existantes. Il y a deux grands types de supports : le support écrit et le support oral.

Le support écrit

Les supports écrits de l'évaluation dans son ensemble sont nombreux et variés. Seuls ceux qui, à l'expérience, se sont révélés les plus commodes et les plus efficaces avec le public spécifique des élèves et dans le cadre scolaire, tel qu'il est, seront décrits ici. Il s'agit de l'inventaire de contrôle, des questionnaires, des Q-sort et de la consultation.

L'inventaire de contrôle ou *check-list*

C'est une liste d'objectifs opérationnels hiérarchisés d'un point de vue méthodologique comme dans les fiches 5, 6 et 7. Elle représente un mode d'évaluation constructif et utilisable comme outil pédagogique de différenciation selon les processus d'auto et co-évaluation.

Les questionnaires

Il en existe deux sortes : les questionnaires *fermés* à réponses préformées et les questionnaires *ouverts* à réponses libres.

• Les questionnaires fermés à réponses préformées

Ce sont des questionnaires dont les réponses sont soit contenues dans les questions, soit inscrites à la suite des questions ; ils peuvent prendre cinq formes différentes.

1. Le questionnaire à réponses dichotomiques ou binaires (fiche 7)

Il suffit de choisir et de cocher une des deux cases, indiquées VRAI ou FAUX, OUI ou NON, placées face aux réponses rédigées dans chaque question.

Ce type de questionnaire est très utile pour effectuer un diagnostic rapide et pointu, mais il induit chez l'élève, davantage que les autres questionnaires, une attitude de conformité à ce qu'il croit être l'attente de l'enseignant, et de facilité sans réflexion.

2. Le questionnaire à réponses multiples

Après chaque question, plusieurs réponses sont proposées parmi lesquelles l'évalué aura à choisir celle(s) qui lui convient le mieux, comme le montrent les paragraphes III et IV du questionnaire de la fiche 8 : il a été passé en fin de 3e pour connaître les opinions des élèves sur l'évaluation formative pratiquée au cours de l'année. Si ce type de questionnaire porte plutôt sur des objectifs méthodologiques et comportementaux, il permet d'effectuer un diagnostic initial suffisamment nuancé et riche en informations pour mettre en place une séquence de pédagogie différenciée selon le premier dispositif (différenciation des processus), car les réponses proposées éclairent l'élève sur ses manières d'apprendre.

3. Le questionnaire à choix multiples (Q.C.M.)

Il est défini comme «*un ensemble de questions fermées pour chacune desquelles est explicitement fourni un éventail de possibilités de réponses entre lesquelles l'élève ou l'étudiant doit choisir*»[1] ainsi que l'indiquent les points 1 et 2 de la fiche 7. Il peut y avoir trois cas :

– premier cas : les réponses proposées sont indépendantes les unes des autres et une seule réponse est exacte ;

– deuxième cas : les réponses proposées sont indépendantes et plusieurs réponses sont exactes ;

– troisième cas : les réponses proposées ont des liens de causalité si bien que la réponse à la première question détermine les réponses aux autres questions.

Souvent utilisé en évaluation sommative, il peut l'être de façon positive en évaluation formative aussi.

4. Le questionnaire à réponses préformées à ordonner

L'évalué doit classer les réponses proposées selon des critères qui lui sont indiqués.

5. Le questionnaire à réponses préformées avec échelle

L'évalué doit donner son avis sur les questions posées en se situant sur une échelle d'intensité (de temps, de quantité, d'ordre, de préférence, etc.) comme dans la fiche 10 où les élèves doivent indiquer par un numéro leur préférence pour organiser une activité dans le cadre de la pédagogie de projet, et dans la fiche 9 qui présente un exemple de diagnostic initial sur les habitudes de travail des élèves de 6e[2]. Ce diagnostic servira à mettre en œuvre plusieurs séquences de

1. G. Noizet et J.-P. Caverni, *Psychologie de l'évaluation scolaire*, PUF, 1978.
2. De Peretti, *Points d'appui pour une pédagogie différenciée*, I.N.R.P., 1984.

Fiche 7

Questionnaire fermé dichotomique

NOM : ....
CLASSE : ....

Comment apprends-tu ?

1. Pour apprendre une leçon est-ce que tu as besoin de l'écrire	Oui	Non
2. Pour savoir une leçon est-ce qu'il te suffit habituellement de lire ton cahier ou le livre ?	Oui	Non
3. Est-ce que pour mieux retenir tu récites ta leçon à haute voix ?	Oui	Non
4. Après avoir lu quelque chose que tu dois apprendre, est-ce que tu sens le besoin de prendre des notes ?	Oui	Non
5. Quand il y a un contrôle, est-ce que tu préfères que le professeur lise les questions à haute voix ?	Oui	Non
6. Est-ce que tu comprends mieux si le professeur écrit au tableau en même temps qu'il parle ?	Oui	Non

Élaboré par le Centre d'information et d'orientation de Melun.

Fiche 8

Questionnaire type *cafétéria*

Évaluation formative

I. Dans l'ensemble l'évaluation formative vous a-t-elle aidé ?
– beaucoup .... ❑ – un peu .... ❑ – pas du tout .... ❑

II. Quelle est celle qui vous a le plus aidé ?
– l'évaluation professeur ... ❑ – l'auto-évaluation ...... ❑ – les deux .... ❑

III. L'auto-évaluation vous a-t-elle aidé à :
– mieux apprendre vos leçons .... ❑
– mieux rédiger .... ❑
– mieux comprendre les questions posées .... ❑
– lire plus attentivement les questions .... ❑
– mieux comprendre le cours .... ❑
– déceler certaines de vos difficultés .... ❑
– autres avantages .... ❑
....

IV. L'évaluation professeur vous a-t-elle aidé à :
– mieux apprendre vos leçons .... ❑
– mieux rédiger .... ❑
– mieux comprendre les questions posées .... ❑
– lire plus attentivement les questions .... ❑
– mieux comprendre le cours .... ❑
– déceler certaines de vos difficultés .... ❑
– autres avantages .... ❑

V. Citez une ou deux difficultés dont vous avez pris conscience grâce à l'évaluation.
....
....

VI. Auriez-vous aimé pratiquer cette évaluation dès la classe de 6e ? Pourquoi ?
....

VII. Voudriez-vous la retrouver l'année prochaine ? Oui...... ❑ Non...... ❑

Élaborée au collège Clément Guyard de Créteil, année scolaire 1985-1986.

pédagogie différenciée selon des stratégies variées d'aide méthodologique adaptées aux réponses.

Ces deux derniers types de questionnaires sont particulièrement fructueux pour l'évaluation cognitiviste des processus d'apprentissage même si les questionnaires ouverts sont plus intéressants.

• Les questionnaires ouverts

Les questionnaires ouverts (fiche 10), contrairement aux questionnaires fermés où les réponses sont préformées, appellent des *réponses libres* de la part des élèves. Ils sont donc très intéressants pour évaluer des comportements, connaître des opinions, mais ils sont difficiles à dépouiller, l'éventail des réponses possibles étant large, et à rédiger car toute question ambiguë ou mal posée conduit à des réponses pauvres ou hors-sujet. Si ce type de diagnostic est choisi, il faudra prêter une attention particulière à la formulation des questions, et surtout déterminer clairement au préalable, le temps disponible pour le dépouillement et les modalités de son exploitation (comment ? avec qui ? sur quelle durée ?). Sans ces précautions, il est préférable de ne pas se lancer dans cette opération, car c'est une entreprise exigeante en temps et en réflexion.

Des exemples de questions se trouvent dans la fiche 8 aux points V et VI et dans la fiche 9 où la colonne *Je ne sais pas* et l'appel aux *remarques personnelles* représentent une incitation à s'exprimer librement : j'ajouterais même que c'est là que se situent souvent les réponses les plus instructives pour l'enseignant (fiche 10) !

• Les questionnaires mixtes

Appelés aussi *cafétéria,* ils combinent des questions fermées et des questions ouvertes comme dans la fiche 8, et ils apportent alors une grande richesse d'informations utilisables.

Il est interessant de les associer avec les modes d'évaluation figurés par les graphismes.

■ Les Q-Sorts

Ce sont des tris d'énoncés qualitatifs présentés par items comme dans l'exemple de la fiche 11 à propos des rôle du délégué-élève.

■ La consultation

C'est une exploration individuelle ou collective par échange d'opinions et négociation entre l'enseignant et l'élève. Lorsqu'elle est écrite, elle peut prendre la forme de toutes les grilles vues jusqu'ici comme dans la fiche 12 qui est un inventaire d'objectifs avec échelle d'intensité, proposé dans le cadre d'un Projet d'action éducative (P.A.E.).

Fiche 9

Questionnaire à réponses préformées avec échelle

QUESTIONNAIRE ÉLÈVE

Mes habitudes de travail	Jamais	Parfois	Souvent	Toujours	Je ne sais pas
1. Je comprends un texte quand je le lis une seule fois (une leçon, un document à lire...)	❑	❑	❑	❑	❑
2. J'ai du mal à repérer les points importants.	❑	❑	❑	❑	❑
3. Je reviens en arrière et je me récite ce que j'ai étudié.	❑	❑	❑	❑	❑
4. Je me dis les mots à moi-même tout en lisant.	❑	❑	❑	❑	❑
5. Je recopie avec des fautes ou en oubliant les mots les résumés copiés au tableau ou dictés par le professeur.	❑	❑	❑	❑	❑
6. J'ai du mal à fixer mon esprit sur ce que j'apprends. Je ne sais plus ce que j'ai lu une fois que j'ai terminé.	❑	❑	❑	❑	❑
7. J'ai tendance à rêver lorsque j'essaie de travailler.	❑	❑	❑	❑	❑
8. J'ai besoin d'un certain temps pour m'installer et "m'échauffer" avant de me mettre au travail.	❑	❑	❑	❑	❑
9. J'ai tendance à perdre du temps.	❑	❑	❑	❑	❑
10. Je consacre trop de temps à certaines matières et pas assez à d'autres.	❑	❑	❑	❑	❑
11. Je travaille seul(e) dans une pièce. Je travaille dans une pièce avec quelqu'un qui ne me gêne pas.	❑	❑	❑	❑	❑
12. Je suis aidé(e) à la maison par...	❑	❑	❑	❑	❑
13. Je récite mes leçons à quelqu'un, père, mère, frère, sœur...	❑	❑	❑	❑	❑
14. J'ai du mal à me forcer à terminer mon travail en temps donné.	❑	❑	❑	❑	❑
15. Je regarde la télévision.	❑	❑	❑	❑	❑
16. J'ai des activités (judo, foot...). Ces activités me prennent du temps sur mon travail.	❑	❑	❑	❑	❑
17. Je me fais du souci avant les contrôles. Je perds mes moyens pendant les contrôles écrits.	❑	❑	❑	❑	❑
18. J'ai peur pour parler à l'oral devant mes camarades.	❑	❑	❑	❑	❑
19. Pour un contrôle, j'écris directement les réponses sur ma feuille.	❑	❑	❑	❑	❑
20. J'ai fini avant l'heure pendant un contrôle	❑	❑	❑	❑	❑
21. Je relis ma feuille quand j'ai fini un devoir.	❑	❑	❑	❑	❑
22. Je suis trop fatigué(e) pour bien étudier et bien écouter.	❑	❑	❑	❑	❑
23. Je n'aime pas certaines matières et je les néglige.	❑	❑	❑	❑	❑

Autres remarques personnelles : ....

....

....

De Peretti, *Points d'appui pour une pédagogie différenciée* (collection I.N.R.P.), 1984.

Fiche 10

Questionnaires ouverts

DIFFÉRENCIATION DES PROCESSUS D'APPRENTISSAGE

1. Comment fais-tu pour trouver un pays sur une carte ?
2. Comment fais-tu pour apprendre ta leçon de sciences naturelles ?
3. Comment vérifies-tu que tu sais une leçon ?
4. Que retiens-tu le plus facilement dans un cours ? À quoi cela tient-il d'après toi ?
5. Quand tu veux vraiment te rappeler de quelque chose d'intéressant pour toi, comment t'y prends-tu ?
6. Quels changements proposes-tu dans le cours de «X» pour que tu puisses mieux écouter et apprendre ?
7. Qu'as-tu lu pendant les vacances (livres, B.D., journaux, revues...) ?
8. Quels sont les problèmes qui te préoccupent ou t'intéressent et sur lesquels tu aimerais discuter et travailler ?
9. Quelle(s) sorte(s) de film(s) aimes-tu ?
10. Quelle(s) musique(s) aimes-tu ?
11. Que fais-tu pendant tes loisirs ?
12. Qu'attends-tu du cours de «X» ? Pourquoi ?
13. L'anglais te sera-t-il utile ? Pourquoi ?
14. Quelles sont tes remarques personnelles sur le cours de «X» ?
15. Que proposes-tu pour que la situation actuelle en classe s'améliore ?
16. Aimes-tu ton cours de mathématiques ? Pourquoi ?
17. Préfères-tu utiliser un cahier ou un classeur ? Pourquoi ?
18. Quelles sont les matières que tu préfères ? Pourquoi ?
19. Quelles sont les matières qui t'intéressent peu ? Pourquoi ?
20. Quelles sont les heures de cours où tu te sens le moins fatigué ? le plus ? Pourquoi d'après toi ?

PÉDAGOGIE DE PROJET

Questionnaire : Collecte des choix

1. Si nous faisions un spectacle, qu'aimerais-tu faire ?
   imiter les profs
2. Si nous organisions le carnaval, quelles seraient tes idées ?
   des jeux, un bal masqué à la patinoire de Gare
3. Si nous sortions du collège, où aimerais-tu aller ?
   au musée du Bourget, et à la verrerie, au cinéma, à la patinoire, à la piscine, Italie, aller au ski, faire des sports
4. Si nous faisions un livre, une bande dessinée, un journal, qu'aimerais-tu faire ?
   Pif, reportage sur les animaux
5. Si nous faisions une enquête, un reportage, que choisirais-tu ?
   reportage sur les animaux
6. Si nous fabriquions quelque chose, qu'aimerais-tu fabriquer ?
   un kart, une moto
7. Si nous jouions, à quoi aimerais-tu jouer ?
   au foot, au rugby, hand-ball

Classe ces activités par ordre de préférence

3	6	2	4	5	7	1

Collège du Parc, Sucy-en-Brie (94).

Le *Q-sort*

Fiche 11

LES RÔLES ET LES FONCTIONS DU DÉLÉGUÉ-ÉLÈVE

1. Un délégué peut proposer aux professeurs en conseil de classe de se pencher plus spécialement sur le cas d'un élève.

2. Au conseil de classe, les délégués indiquent aux participants ce qu'ils savent de problèmes familiaux, ou autres, de l'élève dont on parle.

3. Au conseil de classe, les délégués sont là pour défendre leurs camarades.

4. Au conseil de classe, les délégués recueillent les appréciations portées sur la classe en général et sur les élèves en particulier.

5. Au conseil de classe, le délégué a surtout un rôle de greffier.

6. Un délégué au conseil de classe ne porte pas de jugement défavorable sur un professeur.

7. Le délégué fait part des informations qu'il est chargé de transmettre.

8. Le délégué recueille l'information administrative en vue de renseigner ses camarades.

De Peretti, *Recueil d'instruments et de processus d'évaluation formative*, tome II p. 681.

La consultation

Fiche 12

ÉVALUATION FORMATIVE DU TRAVAIL THÉÂTRAL

Nom : ....
Classe : ....
Personnage(s) interprété(s) :
....
....

	Auto-évaluation				Co-évaluation des professeurs			
	1. Médiocre	2. Moyen	3. Bien	4. Très bien	1. Médiocre	2. Moyen	3. Bien	4. Très bien
1. Concentration (silence, attention, disponibilité totale à la pièce)								
2. Contrôle de l'émotivité (voix, gestes, rires)								
3. Participation à la mise en scène (idées, propositions de jeux, initiatives)								
4. Participation technique (décors, vêtements, idées et réalisations)								
5. Amélioration ou détérioration de la qualité des relations avec vos camarades (précisez le nombre de camarades concernés)								
6. Comprenez-vous mieux la vie quotidienne des gens de la Renaissance ?								
7. Participation à l'écriture de la pièce								
8. Quels sont les problèmes de mise en scène qui vous ont particulièrement intéressé(e) ?								
– localisation des entrées et sorties des acteurs								
– utilisation de l'espace								
– diction								

Les supports graphiques

Les graphismes sont des supports d'évaluation plus concrets, plus rapides, plus lisibles et plus évocateurs pour les élèves que les supports précédents. Parmi les plus couramment utilisés on trouve la cible, le disque, l'étoile, les espaces d'évaluation et les courbes.

• Les cibles

La réalisation des objectifs est représentée au centre comme une flèche qui atteint son but. On en présente ici deux exemples :

1. La cible ronde

Elle évalue huit objectifs intermédiaires de technologie en 4e selon cinq niveaux de réussite.

Celui qui évalue colorie ou coche la tranche correspondant au niveau choisi.

2. Le moulin

On définit un objectif par aile et chaque objectif est découpé en trois niveaux d'intensité dans la réalisation et/ou de complexité comme dans la fiche 14 qui évalue un objectif méthodologique intermédiaire d'histoire-géographie de 6e : «*Savoir faire une carte propre et lisible*». Le second moulin (fiche 15) porte sur un objectif général méthodologique de sciences naturelles de 6e : «*Savoir faire un dessin d'observation*» découpé en quatre objectifs intermédiaires (légende, dessin, observation, présentation) qui, eux-mêmes, sont traduits chaque fois en six objectifs opérationnels numérotés de 1 à 6, ces numéros renvoyant à une légende. Dans ces deux exemples, chaque partie d'une aile correspond à une action supplémentaire à effectuer.

Les moulins sont très efficaces pour évaluer non seulement des objectifs cognitifs ou méthodologiques, mais aussi des attitudes et des opinions dans une perspective plus cognitiviste.

• Le disque

C'est un support identique à la cible ronde, comme le montre la fiche 16, mais les niveaux de réussite sont dans le sens inverse. L'objectif atteint est représenté à l'extérieur, si bien que les réussites d'un élève, même ponctuelles, peuvent se conjuguer et s'étendre jusqu'aux quatre tranches (de *très bien* à *moyen*) alors que ses erreurs sont minimisées à l'intérieur d'un cercle restreint allant de *médiocre* à *insuffisant*. Dans le souci d'une pédagogie de la réussite qui fait de l'erreur un facteur de progrès, cette représentation est efficace, surtout dans la pratique de l'auto-évaluation. Dans cet exemple, l'objectif général en histoire-géographie de seconde est méthodologique : «*Savoir faire un exposé*» ; il est découpé en huit objectifs intermédiaires, explicités en face de chaque tranche les représentant. La personne qui évalue coche ou colorie la tranche adéquate.

La cible

Nom : ....

Prénom : ....

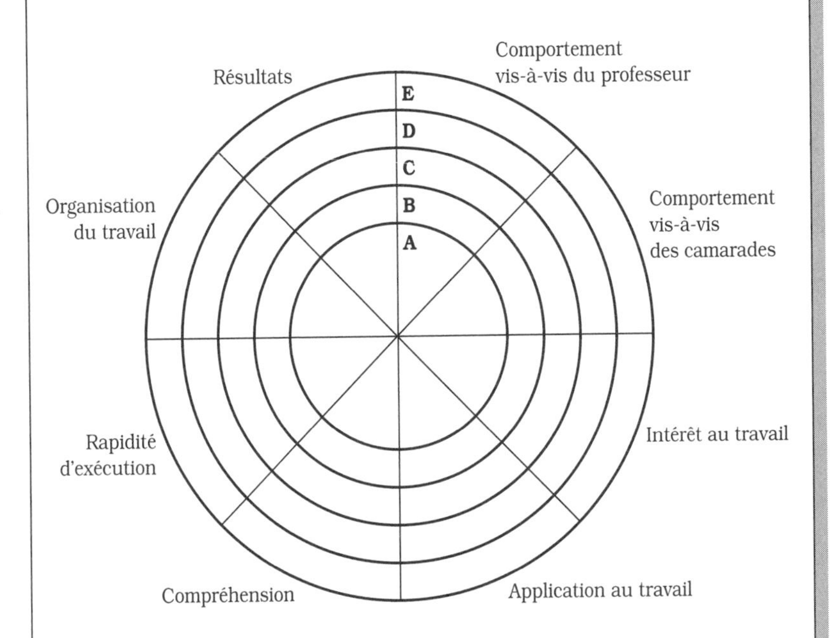

A : Objectif atteint et acquis
B : Objectif atteint mais non acquis
C : Objectif moyennement atteint
D : Objectif faiblement atteint
E : Objectif non atteint

Collège du Parc.

Fiche 14

Le moulin

Objectif méthodologique intermédiaire :
savoir faire une carte propre et lisible

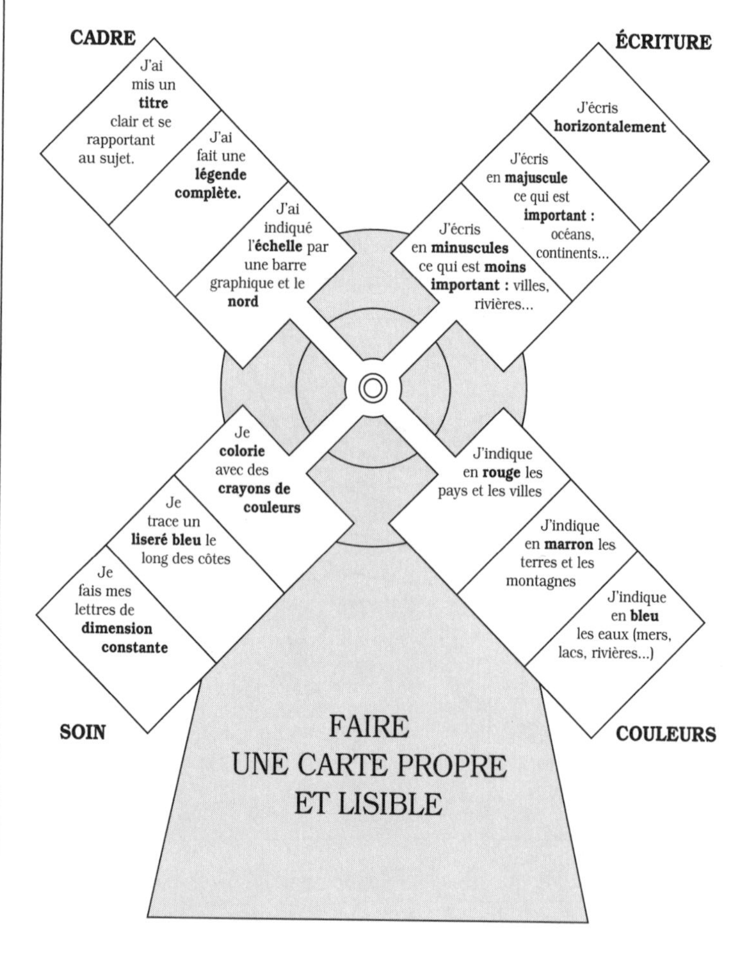

D'après A. de Peretti, *Recueil d'instruments et de processus d'évaluation formative.*

Autre moulin

Objectif général méthodologique de sciences naturelles :
savoir faire un dessin d'observation

PRÉSENTATION
1 2 3 4 5 6

OBSERVATION
1 2 3 4 5 6

LÉGENDE
1 2 3 4 5 6

DESSIN
1 2 3 4 5 6

FAIRE
UN DESSIN
D'OBSERVATION

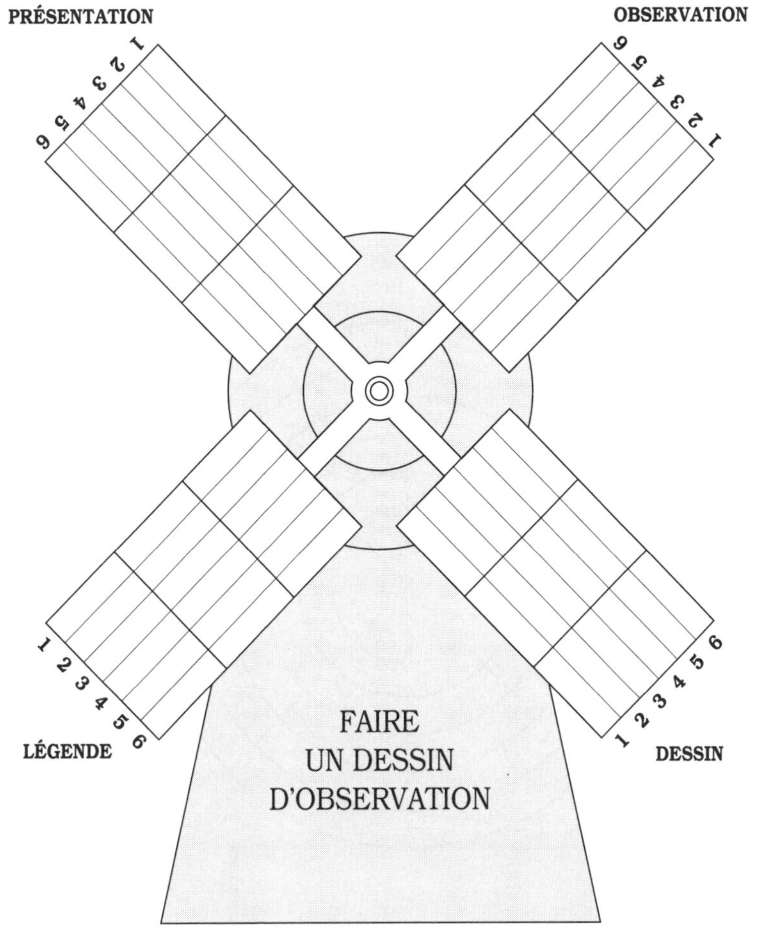

Collège Saint-Exupéry, Fresnes (94).

Fiche 16

Le disque

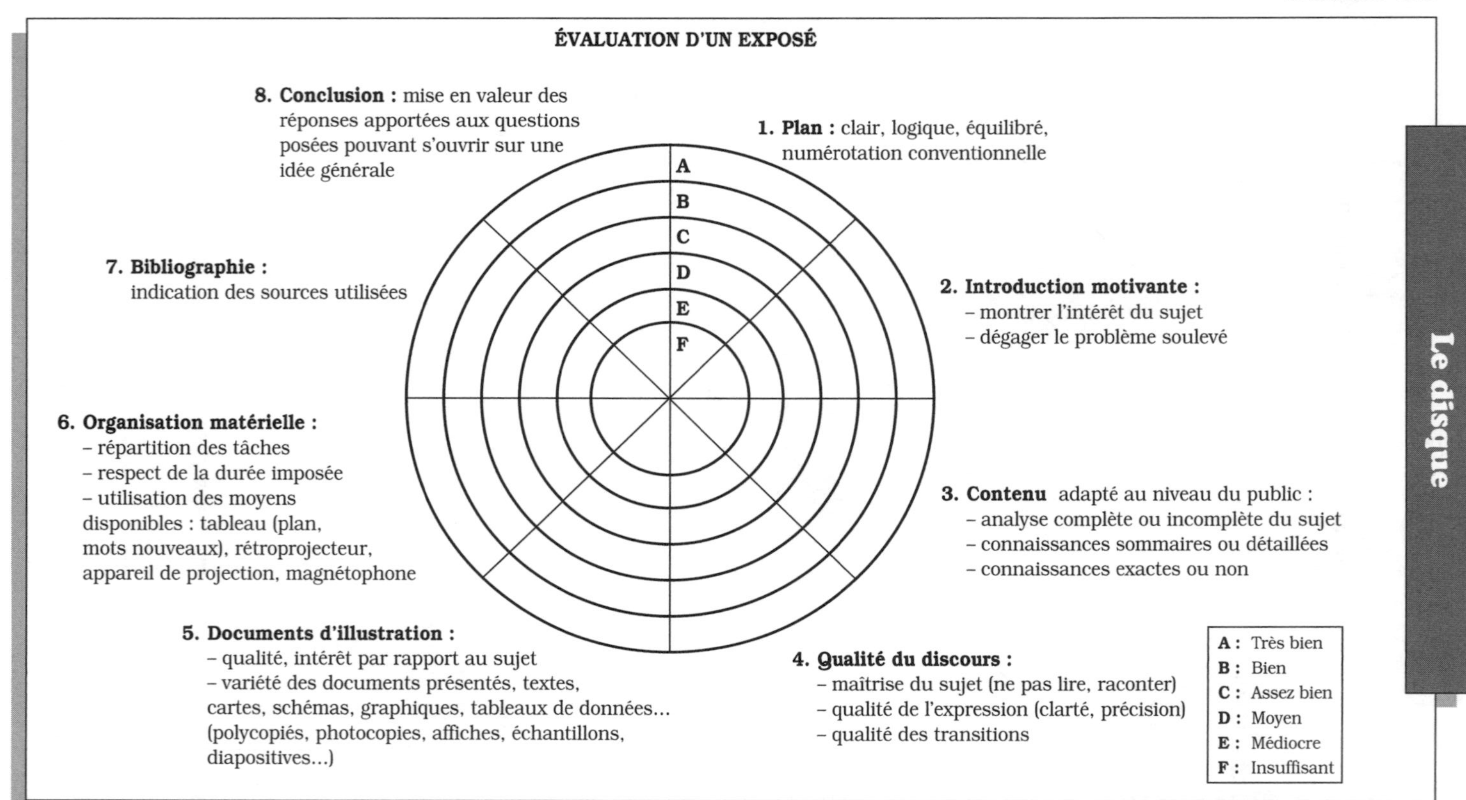

L'étoile

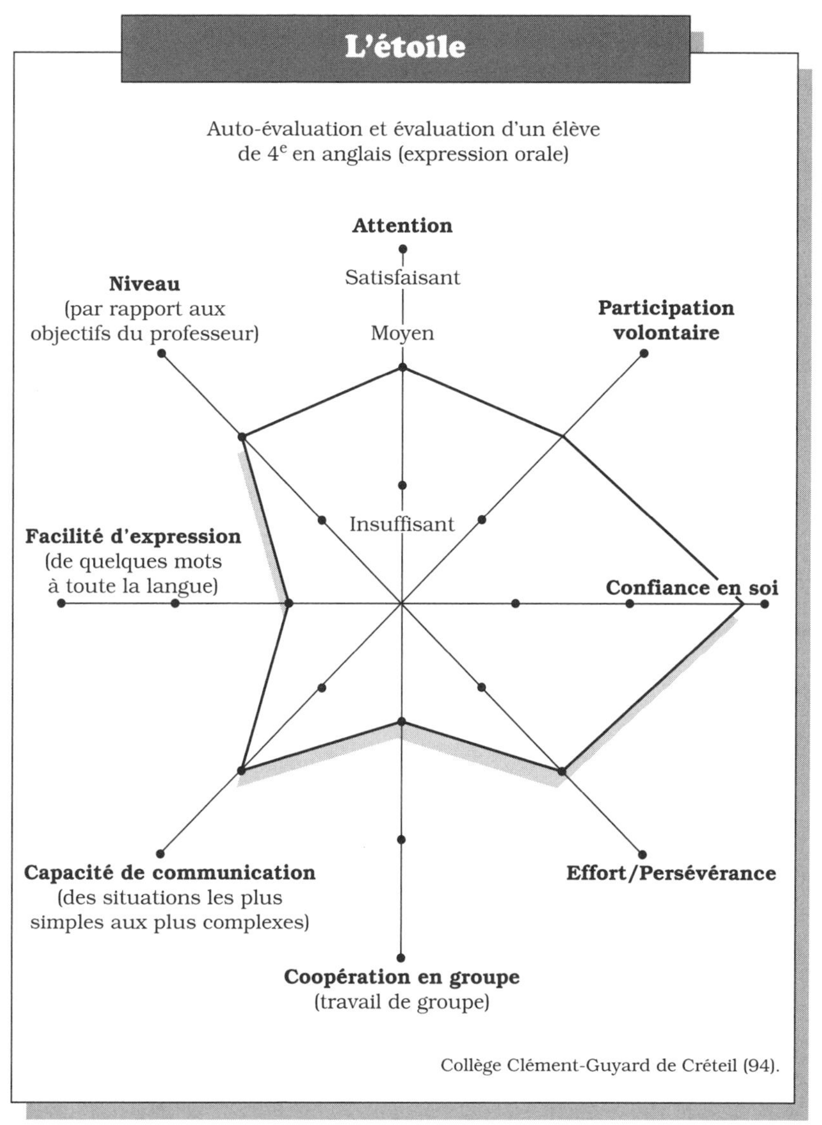

Collège Clément-Guyard de Créteil (94).

• L'étoile

Chaque branche représente un objectif et se découpe en trois niveaux de performances que l'on relie par un trait pour évaluer.

L'étoile est particulièrement efficace et appréciée des élèves. En effet, si plusieurs étoiles de couleurs différentes sont superposées, elle permet de repérer d'un simple coup d'œil aussi bien les lacunes symbolisées par un creux dans l'étoile que les réussites et les progrès symbolisés par un allongement des branches.

Fiche 18

Les espaces d'évaluation

Ce qui a plu aux élèves

Ce que les élèves ont compris sans problème

Ce que les élèves n'ont pas compris

Ce que les élèves ont jugé difficile

D'après A. De Peretti, *Recueil d'instruments et de processus d'évaluation formative.*

• Les espaces d'évaluation

Ce sont des graphismes aux formes variées qui symbolisent chacun un objectif.

Celui qui utilise ces espaces inscrit des croix aux endroits adéquats : dans une classe, chaque élève peut le faire sur un graphique général dessiné au tableau et l'enseignant obtient ainsi une photographie de la situation des élèves par rapport à son cours.

• Les courbes

Elles constituent le graphique le plus facilement utilisé et sont intéressantes, par exemple, dans l'évaluation du nombre d'erreurs en orthographe sur une certaine durée.

Le support oral

Le support oral pour un diagnostic initial est intéressant afin d'approfondir celui qui a été réalisé par écrit. Il permet d'obtenir davantage d'informations sur les processus d'apprentissage des élèves en vue de leur fournir une aide individualisée méthodologique et/ou psycho-pédagogique. Ce support oral prend la forme d'un *entretien semi-directif* qui exige que trois conditions, au moins, soient réunies :

– être seul avec l'élève pour préserver la discrétion ;

– avoir du temps (au minimum quinze minutes) ;

– avoir déjà pratiqué l'entretien semi-directif avant, par exemple avec des collègues, deux à deux, en s'enregistrant mutuellement pendant cinq minutes chacun, puis en s'écoutant pour vérifier son déroulement et l'analyser ensemble.

Ces conditions, à l'évidence, sont difficiles à mettre en place dans un établissement scolaire sans quelques aides institutionnelles : heures dégagées, souplesse de l'emploi du temps, lieu d'accueil, formation à l'entretien semi-directif des évaluateurs.

L'entretien servant en diagnostic initial d'une séquence de pédagogie différenciée est ainsi appelé car il est *directif* dans son contenu et *non-directif* dans son processus.

Pour répondre à ces deux caractéristiques, il est souhaitable qu'il se déroule selon les règles suivantes illustrées par la fiche 19. Ce document est la transcription d'un entretien effectué par un professeur d'allemand au collège Georges-Brassens de Villeneuve-le-Roi. Cet entretien permet aux enseignants de fournir aux élèves quelques conseils intégrant, en particulier, la gestion de leurs images mentales(1). Cyril (l'élève) a suivi des tests de sensibilisation à l'image mentale et des tests de lecture.

Les règles à respecter concernant le contenu

• **Déterminer avec précision les sujets sur lesquels l'élève sera consulté :** la ou les matières, les difficultés, les événements, les comportements, les opinions, les décisions, etc.

• **Préparer le plan de l'entretien** pour savoir relancer le dialogue par des questions directives sur chaque sujet fixé auparavant comme la question n° 7 de l'entretien-exemple dont le contenu est directif, mais non le processus.

Les règles à respecter concernant le processus

Pour qu'un élève s'exprime sur ses difficultés, des questions directives lui sont posées puisque nous sommes dans le cadre scolaire d'un

1. M.F. Belmont, in *Conseils de travail : aide méthodologique personnalisée en 6e*, C.D.D.P. de Reims, 1986.

Fiche 19

Un entretien

L'élève est bien informé de notre travail, ses objectifs. Il a passé les tests et comprend les questions. J'ai, avant son arrivée, regardé son test, les résultats et sa fiche générale.

1. «– Bonjour, Cyril ! Installe-toi. Prends de quoi écrire, donne-moi ton carnet de correspondance. Merci ! On dirait que tu as couru !
2. – Oui, j'étais au gymnase.
3. – Tu faisais du sport ?
4. – Oui, on a deux heures.
5. – Et tu aimes ça ?
6. – Oui, j'aime bien, on peut bouger, et puis je suis bon.
7. – Il y a d'autres matières que tu aimes bien et où tu es bon ?
8. – Oh ! Les maths, j'adore et la prof est si gentille ! Et le dessin aussi, j'adore ! On fait de belles choses. Et puis l'histoire-géo..., c'est facile aussi, enfin surtout l'histoire !
9. – Est-ce qu'il y a des matières qui sont difficiles pour toi ?
10. – Oui, surtout l'anglais !
11. – Tu as des difficultés en anglais ?
12. – Oui, je n'arrive pas à retenir, c'est difficile, je mets très longtemps. Et puis le professeur interroge sans qu'on voie les images du livre. C'est dur à prononcer aussi ! Par exemple "be" ou "because".
13. – Comment apprends-tu ?
14. - Je lis à haute voix, plusieurs fois, morceau par morceau.
15. - Que se passe-t-il dans ta tête quand tu apprends ? Tu vois des choses, ou tu te dis des choses ?
16. – J'apprends pour voir le texte comme s'il était écrit, mais après je ne sais plus à quelle image elle se rapporte.
17. – Tu vois écrit en anglais ?
18. – Oui, bien sûr, comme dans le livre !
19. – Et tu comprends ce que tu apprends ?
20. – Oui, je comprends bien, et puis quand j'ai appris, je cache le texte et je récite. Mais en classe, on n'a pas les images, alors je mélange.
21. – Peux-tu te faire les images dans ta tête de ce qui se passe, de la scène ? (Il avait utilisé ce processus dans les tests.)
22. – Oui, bien sûr !
23. – En fais-tu quand tu apprends ton sketch ?
24. – Non, je retiens ce qui est écrit.
25. – Si tu voyais dans ta tête les scènes décrites, est-ce que ce serait plus facile ?
26. – Peut être... mais oui, puisque quand ma mère me fait réciter, je vois les images du livre et ça va tout seul, alors si je les ai dans ma tête, même si l'on nous interroge sans livre, ce sera comme si j'avais le livre. Oui, mais aussi c'est difficile à prononcer !
27. – Tu essaies de lire ce que tu vois écrit dans ta mémoire et tu n'arrives pas à prononcer ?
28. Oui, c'est ça !

Entretien réalisé par un professeur d'allemand au collège Georges-Brassens de Villeneuve-le-Roi (94).

diagnostic pédagogique, mais la consultation doit se dérouler de manière libre et *fluide*. Il faut être attentif au processus du dialogue.

Il est nécessaire de reformuler les réponses de l'élève et pour cela trois méthodes peuvent être utilisées :

1. Acquiescer simplement par des mots courts ou des comportements encourageants

Par exemple : *Oui, Bien, D'accord, Je vois, Bon, J'entends*, ou par des comportements : regard, sourire, hochement de tête..., qui témoignent d'une écoute bienveillante et chaleureuse.

2. Répéter la phrase de l'élève telle quelle en l'introduisant par des expressions comme : «*Tu me dis que... Est-ce bien cela ?*» ou «*Dans ce que tu me dis, je comprends que... Est-ce cela ?*»

3. Reprendre la phrase de l'élève sous une autre forme syntaxique sans en changer le sens, comme dans les phrases n° 9 et 11 de l'entretien avec Cyril.

Pour relancer l'exploration on posera une question qui reprend la dernière réponse de l'élève soit en l'enrichissant d'un élément nouveau comme dans les phrases n°s 6 et 7, soit en inversant son sens comme dans les n°s 8 et 9 où le «*C'est facile aussi, enfin surtout l'histoire*» de l'élève est transformé en «*Est-ce qu'il y a des matières qui sont difficiles pour toi ?*» de l'enseignante.

Il faudra, enfin, être vigilant à éviter certains comportements

- **Ne pas interpréter,** même si l'on détient une information sûre comme dans les cas de phrases n°s 1, 2, 3 où l'enseignante ayant le carnet de correspondance de l'élève avec son emploi du temps sait qu'il a eu cours d'E.P.S. juste avant l'entretien.

- **Ne pas projeter** ce que l'on sait déjà des difficultés de l'élève car si on le force à parler d'un problème qu'il n'a pas mentionné de lui-même, il se fermera et l'entretien en sera appauvri. C'est une attitude, reconnaissons-le, difficile à garder d'autant plus qu'on aura mobilisé des énergies et des moyens pour organiser cet entretien individuel, ce qui n'est pas de tout repos dans le contexte scolaire actuel, mais elle est tout à fait motivante et positive pour un élève.

- **Ne pas attribuer d'étiquettes,** car elles provoquent soit le silence, soit, très souvent, l'adaptation soumise et même empressée de l'élève, ravi de saisir cette échappatoire à une conversation qui le pousse à être actif et à prendre la responsabilité de ses réponses. Situation ni confortable ni habituelle à l'école ! Dans notre exemple, cela aurait pu consister à lui dire : «*J'ai appris que tu prononces mal l'anglais*» ou «*Tu n'as donc pas de mémoire*».

3

Comment monter des stratégies d'apprentissage ?

Cette troisième partie évoque d'abord la place du diagnostic initial dans une séquence de pédagogie différenciée : avant la séquence, il sert à évaluer les niveaux d'acquisition des prérequis par les élèves ; après la séquence, il permet de vérifier les résultats de la différenciation mise en place et de réguler les séquences futures selon une évaluation évolutive. Elle analyse ensuite l'hétérogénéité des cadres de référence des élèves au sein desquels l'hétérogénéité des niveaux n'est que le résultat apparent. Celle-ci comprend à la fois l'hétérogénéité de leur cadre de vie ainsi que de leurs processus d'apprentissages. Seront mises en valeur les incidences de l'appartenance socio-économique, de l'origine socio-culturelle, des cadres psycho-familiaux, des stratégies familiales et du cadre scolaire sur la façon dont un élève réussit dans un apprentissage. L'hétérogénéité des processus d'apprentissage met l'accent sur l'importance de la motivation, de l'âge, des rythmes, des styles cognitifs, ainsi que des modes de communication et d'expression.

SOMMAIRE

La place du diagnostic initial dans la progression pédagogique 66

L'hétérogénéité du cadre de vie des élèves........... 72

La diversité des processus d'apprentissage des élèves.................. 82

La place du diagnostic initial dans la progression pédagogique

Avant une séquence de pédagogie différenciée 66
Après une séquence de pédagogie différenciée 66
Analyser l'hétérogénéité des élèves 70

Le diagnostic initial peut s'inscrire dans une progression pédagogique d'ensemble, soit avant soit après une séquence de pédagogie différenciée.

Avant une séquence de pédagogie différenciée

Le diagnostic sert alors à faire le point sur les acquisitions des élèves à un moment donné par rapport aux prérequis de la discipline. À partir de ces résultats, l'enseignant pourra organiser une séquence de pédagogie différenciée selon le dispositif choisi.

Après une séquence de pédagogie différenciée

La séquence de pédagogie différenciée réalisée, le diagnostic vérifie ce que les élèves ont réussi à acquérir grâce à cette différenciation. Bilan de la séquence précédente en même temps qu'il est diagnostic initial d'une future séquence, il régule alors les démarches de l'enseignant en réorientant son travail au plus près des intérêts et des difficultés spécifiques de chaque élève.

Tout au long de l'année, diagnostic initial et diagnostic-bilan peuvent se combiner selon une *évaluation évolutive*. C'est la forme d'évaluation la plus intéressante, car elle permet, à certains moments forts, de connaître l'évolution (progrès, reculs) des élèves dans l'acquisition de savoirs, de savoir-faire et de comportements. Grâce à ces informations, les enseignants, comme l'ensemble du personnel éducatif, peuvent avoir une action régulatrice de guidance individualisée.

L'évaluation évolutive

Chaque moulin représente un trimestre.

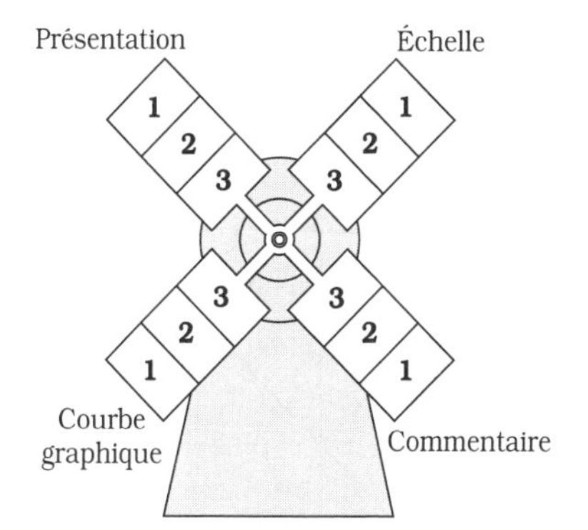

1er contrôle

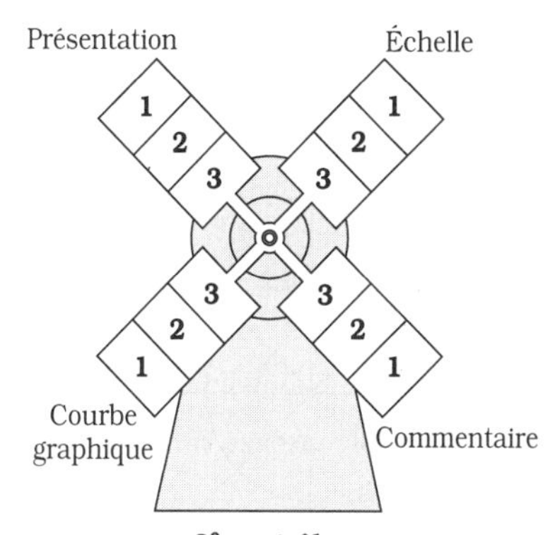

2e contrôle

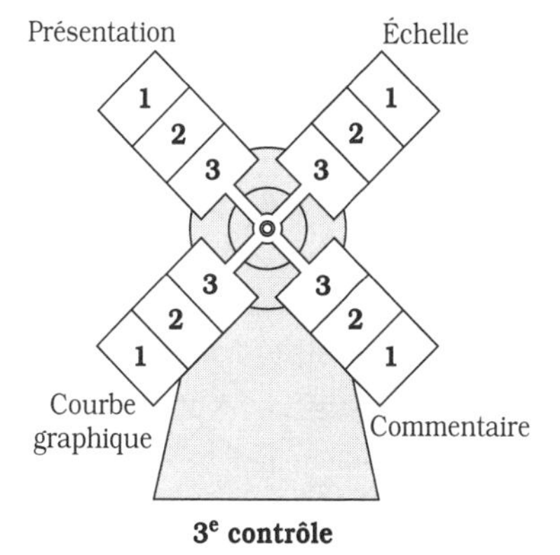

3e contrôle

D'après A. de Peretti, *Recueil d'instruments et de processus d'évaluation formative.*

Fiche 21

Évaluation sur six séquences

Chaque disque représente une séquence et permet d'évaluer huit objectifs comportementaux détaillés dans la fiche 22.

Nom : .... Prénom : .... Né(e) le : ....

Activités :
1. ....
2. ....
3. ....
4. ....
5. ....
6. ....

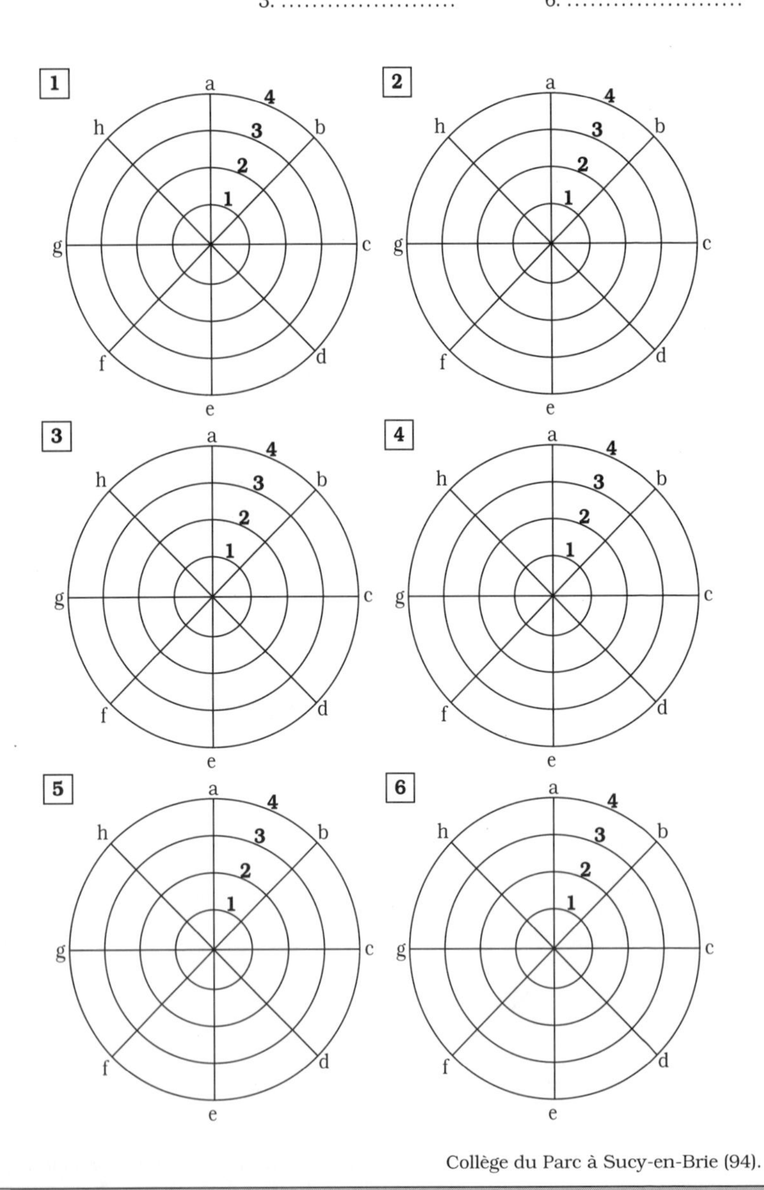

Collège du Parc à Sucy-en-Brie (94).

Les 8 objectifs de comportement en pédagogie de projet

a. Coopération : capacité à travailler en groupe, à s'organiser dans un travail collectif.

1. refuse tout travail d'équipe
2. travaille en équipe après un long moment
3. se met facilement au travail et s'organise
4. facilite le travail

b. Soin dans le travail : présentation, sécurité, attention au matériel.

1. aucun soin
2. faible
3. moyen
4. bien

c. Passage à l'écrit : capacité à passer de l'oral à l'écrit.

1. n'écrit rien après sollicitations
2. écrit peu après plusieurs sollicitations
3. écrit après sollicitations
4. écrit spontanément

d. Communication : capacité de transmettre une information.

e. Compréhension d'une consigne : écrite, orale.

1. aucune compréhension
2. comprend la consigne après plusieurs présentations
3. assez bonne compréhension
4. compréhension très bonne et très rapide

f. Absence d'agressivité : capacité à accepter l'autre, à ne pas l'agresser physiquement ni oralement.

1. agression physique
2. agression verbale violente
3. agression verbale
4. aucune agression

g. Attention : capacité à se mettre en position d'apprendre.

• Durée de cette attention :

1. aucune attention
2. attention très inégale
3. attention moyenne et peu régulière
4. attention constante

• Qualité de l'attention :

1. l'attention, si elle s'exerce, ne sert pas les objectifs du professeur
2. attention légèrement orientée vers les objectifs du professeur
3. attention assez bien orientée vers les objectifs du professeur
4. l'attention sert les objectifs du professeur

Collège de Sucy-en-Brie (94).

Cette évaluation évolutive est facilitée par l'utilisation d'inventaires à plusieurs colonnes (voir fiche 6 sur l'expression écrite où une colonne représente un devoir) ou de graphiques plus lisibles, à mon sens, car une seule feuille distribuée en début d'année aux élèves en contient plusieurs, tout en restant claire. Ainsi, dans la fiche 20, trois moulins, représentant chacun un trimestre, permettent d'évaluer l'évolution d'un élève dans la maîtrise de quatre objectifs opératoires (concernant l'objectif intermédiaire n° 5 de la grille de géographie de la fiche 3, «*Savoir utiliser des graphiques*») et dans la fiche 21 six disques, représentant six séquences de pédagogie de projet (différenciation des processus) évaluent huit objectifs comportementaux détaillés dans la fiche 22. L'évolution des élèves, par rapport aux objectifs fixés au début de l'année, se repère ainsi de façon efficace et rapide sur les trois trimestres.

Analyser l'hétérogénéité des élèves

L'élaboration du diagnostic initial selon une évaluation formative combinant les démarches néo-béhavioriste et cognitiviste, qui vient d'être présentée, constitue le point de départ incontournable de la pédagogie différenciée. Néanmoins, pour y choisir de façon pertinente les éléments à traiter et à interpréter conduisant à la différenciation, l'analyse de l'hétérogénéité des cadres de référence des élèves s'avère nécessaire. Celle de leurs niveaux scolaires n'est, en effet, que le résultat apparent d'autres différences importantes à cerner. On trouve, à l'origine de cette analyse, les travaux présentés dans le module 6 de l'I.N.R.P.

Des profils et des apprentissages

Il n'y a pas deux apprenants qui progressent à la même vitesse.

Il n'y a pas deux apprenants qui soient prêts à apprendre en même temps.

Il n'y a pas deux apprenants qui utilisent les mêmes techniques d'étude.

Il n'y a pas deux apprenants qui résolvent les problèmes exactement de la même manière.

Il n'y a pas deux apprenants qui possèdent le même répertoire de comportements.

Il n'y a pas deux apprenants qui possèdent le même profil d'intérêt.

Il n'y a pas deux apprenants qui soient motivés pour atteindre les mêmes buts.

Il sera donc opérationnel de mieux connaître les élèves à la fois dans l'hétérogénéité de leur cadre de vie non scolaire et scolaire, puis dans l'hétérogénéité de leurs processus d'apprentissage. Comprendre leur fonctionnement cognitif permet d'adapter plus finement les démarches pédagogiques à ce qu'ils sont.

D'après P. Burns[1]

1. P. Burns, *Methods for individualizing instruction*, 1971 et «Educational technology» in *Cahiers pédagogiques* n° 148-149.

Pour aller plus loin

On pourra trouver des exemples de différenciation de la pédagogie à partir d'une évaluation formative dans les ouvrages suivants :

Ouvrages	Exemples
École Plus, Autrement n° 67, février 1985	– Langues vivantes – Comportements
Collèges, Collèges n° 2, I.N.R.P., 1983	Pédagogie différenciée et évaluation formative en mathématiques de 5e et anglais de 6e.
Cahiers du CEPEC n° 1 (Centre d'études pédagogiques pour l'expérimentation et le conseil – Lyon)	Voir le dossier : «*Une grille expérimentale pour le contrôle des pré-requis en français à l'entrée en 6e*».
Les *Cahiers pédagogiques* n° 218/219 et n° 256 sept. 1987	– *Un outil d'évaluation formative* – *L'évaluation*
Les dossiers du SNEP : Syndicat national d'éducation physique, 76, rue des Rondeaux, 75020 PARIS	*L'Évaluation en E.P.S. :* des grilles très instructives pour toutes les matières présentent des taxonomies en termes de connaissances et de comportements (voir fiche 5).
Les documents élaborés par certains lycées professionnels : s'adresser au rectorat et/ou à la MAPFEN de votre académie pour les obtenir	– Évaluation par unités capitalisables en contrôle continu – Pédagogie différenciée par capacité Le constat très positif fait par le ministère de l'Éducation nationale montre que le niveau de compétence atteint par les élèves en contrôle continu dans les matières générales est incomparablement plus élevé que celui de leurs camarades des établissements traditionnels.
L'Évaluation formative dans un enseignement différencié, Allal, Cardinet et Perrenoud, Éd. P. Lang, Berne, 1983 (3e tirage).	À Genève, en 1978, une équipe de chercheurs et d'enseignants a mis en place pour prévenir l'inégalité scolaire une recherche sur l'évaluation formative liée à la pédagogie différenciée appelée Rapsodie (Recherche Action sur les Prérequis Scolaires, les Objectifs, la Différenciation et l'Individualisation de l'Enseignement) dans des écoles primaires.
Publications de la direction de l'évaluation et de la prospective (DEP), du réseau C.N.D.P. et de l'I.N.R.P.	Ce service publie des documents utiles au diagnostic sur la vie scolaire et l'évaluation pédagogique. Ils sont régulièrement adressés en double exemplaire dans les établissements.

L'hétérogénéité du cadre de vie des élèves

L'hétérogénéité de l'appartenance socio-économique 72
L'hétérogénéité de l'origine socio-culturelle 74
L'hétérogénéité des cadres psycho-familiaux 77
L'hétérogénéité des stratégies familiales 78
La diversité des cadres scolaires 78

Pour avoir un éclairage fructueux sur le cadre de vie des élèves, nous évoquerons les différentes formes d'hétérogénéité en abandonnant volontairement des éléments qui relèvent surtout de leur vie privée et qui sont peu utiles au diagnostic.

Cette analyse de l'hétérogénéité des élèves que nous proposons ici permet à ceux qui désirent mettre en place une séquence de pédagogie différenciée, de choisir et surtout de combiner les éléments de façon riche et nuancée. Cette combinaison sera différente, bien sûr, selon les élèves et, surtout, plus ou moins complexe et intense selon le profil individuel de chacun.

L'hétérogénéité de l'appartenance socio-économique

Rapidement repérées dans une classe, les différences socio-professionnelles des parents des élèves participent à la genèse de l'inégalité des niveaux scolaires des enfants, comme le montraient les analyses de Beaudelot-Establet[1] et de B. Charlot[2], même si les travaux récents de psychologie sociale et de psychopédagogie nuancent ce constat en notant que cette influence se réduirait dans les *petites classes* du primaire, et que d'autres paramètres, d'ordre psycho-affectif surtout, expliqueraient la variété des difficultés éprouvées par les élèves.

Ainsi, dans une enquête[3] effectuée par l'Institut pédagogique auprès de 1506 élèves entrant en 6e dans dix collèges expérimentaux à la

1. Beaudelot et Establet, *L'École capitaliste*, Maspéro, 1972.
2. B. Charlot, *L'École aux enchères*, Payot, BP n° 360.
3. Louis Legrand, *Pour un collège démocratique*, La Documentation française, 1982.

C. Beaudelot et R. Establet définissent l'école comme capitaliste car elle légitime le pouvoir d'une classe sociale par la forme même dont elle diffuse le savoir selon une culture bourgeoise : les élèves des classes défavorisées, de culture prolétarienne, se trouvent alors en difficulté et rapidement orientés dans un circuit professionnel. L'école reproduit ainsi la division sociale et technique du travail par les filières de formation.

De même, pour B. Charlot, l'école capitaliste prépare les jeunes à la mobilité géographique et professionnelle pour qu'ils s'adaptent tout en confortant l'idée qu'ils ont la place qu'ils méritent. L'échec scolaire est un problème de rapport au savoir, rapport de classe entre ceux qui conçoivent et ceux qui exécutent où la conceptualisation est mise en œuvre dans des champs sociaux de référence distincts. Or, l'école continue à valoriser le maniement des concepts et des mots que certains acquièrent tandis que d'autres investissent dans des pratiques sans en connaître le sens. B. Charlot propose alors d'apprendre aux élèves à coder des pratiques avant de faire pratiquer des codes.

rentrée 1978-1979, les notes obtenues aux tests de lecture silencieuse et de calcul diminuaient en allant des élèves dont les parents étaient de catégories socio-professionnelles favorisées (dites C.S.P. 1) à ceux dont les parents étaient de catégories socio-professionnelles défavorisées (dites C.S.P. 3).

Plus récemment, les résultats du recensement de 1982, publiés par l'Institut national des études démographiques[1], montrent que jusqu'en 4e les réussites et les passages de classe des élèves ont tendance à se rapprocher selon les catégories socio-professionnelles des parents, mais il subsiste une forme de sélection par le jeu des redoublements. Dans le primaire, pour 100 enfants d'ouvriers entrés au cours préparatoire en 1978, 63 arrivèrent en C.M.2 après une scolarité normale pour 94 % des enfants des cadres supérieurs et des professions libérales, la moyenne nationale étant de 70,5 %, en amélioration d'ailleurs sur la proportion observée dix ans plus tôt (64,9 %).

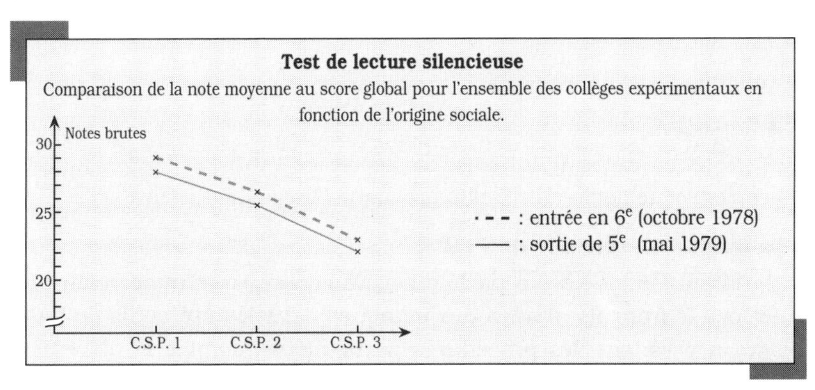

1. *Population et sociétés* n° 186, décembre 1984.

Les redoublements sont donc encore plus nombreux chez les enfants d'ouvriers créant une sur-représentation de ceux-ci dans le primaire et provoquant souvent un sentiment de dévalorisation et d'échec.

Il y a eu une légère amélioration, pourtant, puisqu'en 1976, le Service des statistiques de l'Éducation nationale notait que 41 % seulement des enfants d'ouvriers avaient effectué leur scolarité élémentaire sans redoubler : l'une des explications de ce progrès avancée par l'INED, serait la généralisation de la fréquentation des maternelles qui présente peu de différenciation sociale, y compris en milieu rural. Dans le secondaire, en revanche, les différences s'accentuent surtout à partir de la 4e : en 1980-1981, les enfants d'ouvriers représentaient 35,7 % des élèves de 4e, mais 54 % des classes pré-professionnelles de niveau (C.P.P.N.) et 56 % des classes préparatoires à l'apprentissage (C.P.A.). Un autre chiffre est encore plus frappant : 74 % des enfants dont les parents sont des cadres moyens ou ont des professions libérales, entrés en 6e en 1972, sont parvenus en terminale contre 16 % seulement des enfants d'ouvriers spécialisés, et, enfin, il n'y a que 10 % d'enfants d'ouvriers à l'Université aujourd'hui !

Ce constat, banal, de l'hétérogénéité de l'appartenance socio-économique des élèves, s'éclairera par l'analyse ultérieure d'autres éléments à la fois du cadre de vie comme l'origine socio-culturelle, et des processus d'apprentissage, comme les stades de développement opératoire et l'âge des élèves.

L'hétérogénéité de l'origine socio-culturelle

Plus ou moins prononcée selon l'implantation des établissements scolaires, l'hétérogénéité socio-culturelle des élèves naît de leur origine et/ou de leur appartenance sociale, ces deux paramètres se conjuguant très souvent. Elle conduit à l'hétérogénéité des résultats scolaires par le biais des différences du code culturel des élèves qui se cristallise autour de deux éléments : le langage et les valeurs.

■ Le langage

La différence entre le langage de l'école et celui de l'élève, facteur d'hétérogénéité socio-culturelle, provoque l'inégalité scolaire.

• La langue maternelle de l'élève

Si la langue que l'élève a parlé ou parle encore couramment chez lui n'est pas le français, il aura des manques dans les prérequis de base, ce qui nécessitera des procédures particulières, comme le placement en classe non francophone, pour qu'il apprenne le français ou rattrape son retard.

• Le registre linguistique

De nombreux élèves, de par leur origine et/ou leur appartenance sociale, utilisent des codes linguistiques qui se différencient de celui de l'école par deux caractéristiques principales.

1. La pauvreté du vocabulaire

Ils emploient un code restreint à une quantité limitée de mots usuels.

2. La signification de ce vocabulaire

Elle est souvent détournée de celle reconnue par l'école comme dans le verlan, l'argot, et surtout, le plus fréquemment, la dérive de certains mots que les élèves s'approprient autrement : ainsi un élève, se plaignant d'un camarade qui l'avait insulté, me dit : «*M'dame, il me traite !*»

Or, le contenu enseigné étant marqué culturellement, il ne profite pas aux enfants qui ne retrouvent pas chez eux le même code de langage, ni la même habileté à jouer avec les notions abstraites. En revanche, ceux dont les parents appartiennent à des catégories socio-professionnelles favorisées sont dans leur élément à l'école, car ils trouvent des réponses à leurs questions dans leur environnement culturel, ce qui les aide dans leur développement opératoire.

Basil Bernstein parle de *code restreint*, par opposition à *code élaboré*, lorsqu'il veut caractériser le langage utilitaire et contingent qui serait essentiellement utilisé par les classes populaires. Ce langage serait marqué par une certaine pauvreté syntaxique et lexicale[1].

Les valeurs

Les cultures, différentes selon le pays d'origine ou la classe sociale des élèves, véhiculent des valeurs morales, religieuses, philosophiques qui peuvent s'opposer à celles que l'école transmet par son discours et ses représentations. Il y aura alors chez ces élèves un conflit interne entraînant réticences, fermetures et, donc, difficultés scolaires. En effet, selon la psychologie comportementaliste, pour qu'un apprenant s'investisse dans un apprentissage, il faut un accord intrapsychique entre ses valeurs et ses désirs, lui permettant de dégager de l'énergie pour l'action et la réflexion nécessaires à ce travail.

Quelques remèdes possibles

Pour remédier aux inégalités scolaires engendrées ainsi par cette hétérogénéité socio-culturelle, la pédagogie différenciée offre quelques réponses.

1. La pratique des pédagogies de projet et de contrat

Celles-ci prennent réellement en compte, lors du déroulement de toutes leurs activités d'apprentissage, un vécu spécifique d'élève, socio-culturel ou affectif.

1. Basil Bernstein, *Langage et classes sociales*, Minuit, 1973.

2. L'organisation d'une structure particulière d'aide individualisée
Tournée vers l'écoute et le conseil auprès de l'élève et de ses parents, elle est fondée sur un diagnostic fin, du type de l'entretien, et sur une bonne connaissance des conditions socio-professionnelles locales, comme le tutorat par exemple.

3. La mise en place d'une pédagogie interculturelle
Elle se présente sous des formes variées telles que les classes non francophones (C.N.F.). Celles-ci posent problème lorsque les structures linguistiques étrangères sont très éloignées de celles du français. Dans les établissement où les élèves asiatiques sont parfois très nombreux, les enseignants doivent suivre une formation particulière, comme celle dispensée par le CEFISEM.

Les 24 CEFISEM (y compris en Antilles-Guyane) sont des «centres de formation et d'information pour la scolarisation des enfants de migrants» qui ont pour objectifs :

1. L'apprentissage de la langue dans des classes d'initiation (1er degré) et des classes d'accueil (2e degré) à des élèves étrangers non francophones qui viennent d'arriver.

2. La maîtrise de la langue pour les enfants issus de l'immigration ou en grande difficulté parce qu'ils ne partagent pas la norme de l'école.

3. La connaissance et le dialogue des cultures. Les CEFISEM animent des stages dans les ZEP, organisent des journées d'information et des actions de formation pour les animateurs d'associations financées par le fond d'aide sociale et publient des brochures.

Pour plus d'information, s'adresser au CEFISEM de l'académie, en général implanté dans l'École normale.

Parallèlement à cette action, il apparaît de plus en plus urgent et efficace de découvrir ensemble ces cultures différentes dans des cadres extradisciplinaires comme le foyer socio-éducatif, les projets d'action éducative (P.A.E.), les activités pluri ou interdisciplinaires, les clubs tels les clubs Unesco. Ils permettent de connaître les richesses de cette hétérogénéité culturelle et, à la fois, de les vivre par les échanges, les dialogues à travers des fêtes, des spectacles (danses, films, théâtre, musique...), des soirées autour d'un thème proposé par des élèves concernés et animés par eux et des parents. Des voyages enfin, de plus en plus fréquents dans le primaire, reposent sur la base du principe de l'échange dans les familles, en particulier en Afrique du Nord et en Afrique centrale. Ils permettent de se dégager enfin de l'européo-centrisme des voyages habituels.

Les clubs UNESCO se réclament de l'idéal, des analyses et des programmes de l'UNESCO (Organisation des Nations Unies pour l'éducation, la sciences et la communication) et entendent, à leur manière, contribuer à la mise en œuvre de la Charte des Nations Unies. Leur but est de s'informer, informer et agir autour d'eux sur les droits de l'être humain, la communication interculturelle, le développement et les relations internationales, les solidarités nationales et internationales, la paix et le désarmement.

Pour conclure, la pédagogie différenciée permet de s'attaquer à l'une des bastilles encore à prendre, celle des privilèges culturels et des inégalités du savoir !

L'hétérogénéité des cadres psycho-familiaux

Les cadres psycho-familiaux sont les systèmes d'organisation des familles pour éduquer leurs enfants.

Trois types de cadres psycho-familiaux selon la psychologie sociale

1. Le cadre souple

Les règles d'organisation, *la loi*, sont énoncées clairement et expliquées ; elles peuvent être discutées et même contestées par l'enfant en fonction des circonstances. La famille lui laisse prendre des initiatives, avoir des responsabilités et une certaine autonomie dans des limites définies.

2. Le cadre rigide

Il exige passivité et soumission à des règles fixées une fois pour toute, sans possibilité de les discuter et sans autonomie, quelles que soient les circonstances.

3. Le cadre incohérent

Celui-ci se présente sous deux formes :

– Premier cas : les lois ne sont pas dites, mais les parents décident d'une façon aléatoire et anarchique, au dernier moment, ce que l'enfant peut ou ne peut pas faire : il n'y a pas de limite claire.

– Deuxième cas : chaque parent adopte un cadre éducatif différent et contradictoire.

Pourquoi tenir ainsi compte des cadres psycho-familiaux dans cet inventaire préparant à la différenciation ?

Le psychologue Jacques Lautrey[1], en les étudiant, a dégagé le lien qu'il voit entre les processus de développement intellectuel des enfants et l'organisation de leur milieu familial.

D'après lui, les différences de capacités intellectuelles ont pour origine les inégalités socio-économiques, et le système éducatif familial serait une variable intermédiaire entre la classe sociale et le développement cognitif de l'enfant. Par des enquêtes auprès de 46 familles du XIIIe arrondissement de Paris, il constate que le cadre souple est le plus favorable au développement cognitif, et le cadre incohérent le pire. Reprenant la théorie de Piaget[2] sur le conflit cognitif, Lautrey infère «*qu'un environnement sera d'autant plus favorable au développement cognitif qu'il sera source de déséquilibres susceptibles de donner lieu à des compensations et donc à des constructions*» et qu'il offrira en même temps les conditions nécessaires aux rééquilibrations. C'est pourquoi, le cadre souple devient le meilleur pour le développement opératoire des élèves, donc de leurs capacités à comprendre, raisonner, apprendre.

1. J. Lautrey, *Classe sociale, milieu familial, intelligence*, PUF, 1980 et cf. interview dans *Le Monde de l'éducation* n° 65, oct. 1980.
2. J. Piaget, *L'Équilibration des structures cognitives, problème central du développement*, PUF, 1975.

L'hétérogénéité des stratégies familiales

Les élèves sont aussi hétérogènes par les stratégies que leurs familles adoptent, plus ou moins consciemment, pour leur avenir. Pour certains, l'emprise de l'image familiale et des stéréotypes véhiculés par leur milieu est telle qu'elle oriente leurs attitudes à l'égard de l'école et des matières enseignées, engendrant rejets ou motivations, si bien que réussites et échecs sont aussi liés à la stratégie familiale.

Cet élément est donc à cerner lors d'un diagnostic car, selon qu'une famille se préoccupe ou non de l'avenir de l'enfant, selon qu'elle surestime ou sous-estime ses possibilités, l'élève désirera travailler ou sera découragé. Il faut noter que la stratégie, démobilisatrice à l'extrême, consistant à dévaloriser l'enfant ou l'école, à évoquer un avenir sombre de chômage, est fréquente chez les parents de milieux défavorisés, ayant eu, eux-mêmes, jadis, des expériences et des sentiments négatifs à l'école, provoquant une image de soi infériorisée qu'ils projettent sur leurs enfants. Que de handicaps pour ces élèves !

La pédagogie différenciée, lorsqu'elle porte sur les processus, permet parfois d'en tenir compte en rendant l'élève acteur de ses apprentissages et plus responsable, comme dans la démarche d'auto-évaluation formative. Il se prouve ainsi qu'il peut réussir et retrouve confiance en ses propres capacités, mais cela reste une entreprise de longue haleine, il est vrai, car les représentations mentales liées à la famille ont une grande puissance sur le psychisme des élèves adolescents.

La diversité des cadres scolaires

La diversité des cadres scolaires, qui produit également des effets, à plus ou moins long terme sur les résultats scolaires des élèves, intervient, elle aussi, par le biais du croisement et de l'aggravation des aspects négatifs des trois facteurs suivants : l'implantation et les caractéristiques de l'établissement, le cadre de formation utilisé par les enseignants et le comportement des enseignants vis-à-vis des élèves.

■ L'implantation et les caractéristiques de l'établissement

Selon l'implantation de l'établissement (rural, semi-rural, urbain de petite, moyenne ou grande ville, de banlieue résidentielle ou non...) et ses caractéristiques (taille, effectifs, conditions matérielles comme l'espace, le bruit, l'aménagement et le confort des lieux, la durée et la souplesse des transports), la différenciation des structures, condition indispensable du changement de pédagogie pour lutter contre l'échec scolaire, sera donc plus ou moins réalisable. Les chances de réussite ne seront donc pas les mêmes pour tous.

Le cadre de formation utilisé par les enseignants

Transférant ici le concept de cadre psycho-familial, qui décrit le système de formation des familles, au système de formation à l'école, en termes de *cadre de formation*, on constate qu'un enseignant qui utilisera le cadre souple favorisera le développement cognitif de ses élèves. Il leur permet, en effet, d'exercer davantage leur curiosité et leur désir d'action par l'exploration d'une plus grande variété d'itinéraires d'apprentissage, que dans le cadre rigide ou incohérent. Or, la pédagogie différenciée représente une pratique globale de cadre souple à des degrés variables ; selon l'outil choisi, le cadre ou la souplesse des stratégies possibles sera le facteur prédominant.

Le comportement des enseignants vis-à-vis des élèves

L'influence du comportement des enseignants sur les résultats de leurs élèves est importante. Elle a été notamment mise en lumière par L. Jacobson et R. Rosenthal[1], de 1964 à 1966, lors d'une expérience psycho-pédagogique menée avec des élèves d'une école publique élémentaire d'un quartier pauvre de San Francisco. Ils ont étayé la

Qu'est-ce que le cadre souple transposé à l'école ?

Il s'agit de toute démarche pédagogique qui :

1. Définit clairement aux élèves les limites, c'est-à-dire le cadre du contenu de l'apprentissage :
- le but ;
- les objectifs généraux, intermédiaires,opérationnels ;
- le sujet et son champ ;
- la démarche ;
- le ou les supports ;
- le type de production finale choisi ;
- le mode d'expression choisi pour la communiquer ;
- l'évaluation : *par qui ? sur quoi ? comment ?* ;
- les lieux où l'apprentissage s'effectue ;
- la durée et l'échéance ;
- les moyens et les aides à utiliser.

2. Laisse les élèves libres de travailler selon leurs propres processus d'apprentissage (souplesse) à l'intérieur de ces limites, et s'appuie sur :
- leurs rythmes ;
- leurs motivations, leurs curiosités, leurs goûts ;
- leur énergie psychique et physique ;
- leurs modes de pensée et de raisonnement ;
- leurs images mentales ;
- leurs modes de communication et d'expression favoris ;
- leurs connaissances antérieures.

1. Rosenthal et Jacobson, *Pygmalion à l'école*, Casterman, 1971.

> Rosenthal proposa à un groupe d'étudiants une expérience sur des animaux. On leur dit que des études avaient démontré que la compréhension et l'incompréhension des labyrinthes chez les lignées de rats pouvaient être développées par croisements successifs de bons et de mauvais *parcoureurs de labyrinthe*. À la moitié des expérimentateurs, on dit que les rats étaient brillants et à l'autre qu'ils ne l'étaient pas. Les rats devaient apprendre à courir dans le bras le plus sombre d'un labyrinthe. Ils recevaient un peu de nourriture s'ils réussissaient.
>
> Les résultats montrèrent que les rats considérés comme les plus doués le furent réellement, progressant quotidiennement et courant même plus vite que les rats prétendument *non-doués*.
>
> Les étudiants qui croyaient en une meilleure performance de leurs rongeurs les considéraient comme plus intelligents et plus agréables, si bien que, se sentant décontractés avec eux, ils avaient un comportement plus cordial et plus amical, les manipulant avec plus de douceur que leurs collègues. Les chercheurs en conclurent que l'attitude envers un animal influençait fortement ses résultats et vérifièrent ainsi l'hypothèse de la réalisation automatique d'une prophétie.

théorie de la prédiction selon laquelle les résultats des élèves étudiés sont conformes dans la majorité des cas à l'attente et aux prédictions de leurs maîtres, effectuées souvent sous forme *d'étiquettes* : c'est *l'effet Pygmalion.*

Des travaux canadiens[1], s'interrogeant sur cette influence de la prédiction, ont montré que lorsqu'un enseignant a un préjugé favorable sur un élève, il s'intéresse davantage à lui, s'en occupe plus, et surtout le sollicite plus souvent de manière facilitatrice en posant des questions élucidantes et excusant même ses erreurs, enfin, en ayant des comportements verbaux ou non verbaux (plaisanteries, sourires, clins d'œil, petite tape sur l'épaule, etc.) plus chaleureux qu'envers les autres élèves. Alors, par une interaction continue, l'élève éprouve le désir, d'une part, de se conformer à l'attente de cet enseignant et, d'autre part, d'explorer avec plaisir et d'agir avec énergie, se sentant encouragé à le faire car accepté même s'il se trompe. A contrario, l'enseignant qui étiquette un élève comme *mauvais*, sera peu enclin à lui donner des signes de reconnaissance positifs, car il *prédit* qu'en retour de son enseignement, il recevra une image pas ou peu gratifiante. Cet élève, alors, sera conforté dans sa croyance d'être *mauvais*, l'intériorisera, plus ou moins intensément selon son passé scolaire et/ou familial, si bien qu'elle inhibera ses désirs et la joie de la découverte en favorisant, au niveau psychologique, la passivité.

1. G. Racle, *La Pédagogie interactive*, Retz, 1983, *op. cit.*

La pédagogie différenciée répond positivement à cette hétérogénéité des cadres de vie en luttant contre les déterminismes sociaux révélés dans nombre des aspects, surtout dans les deux directions suivantes :

– par la possibilité offerte à tous les élèves, quel que soit leur milieu socioculturel, leur établissement et leurs différences d'acquisition de contenu, de vivre le **même processus** où ils peuvent s'exprimer et travailler selon leurs propres itinéraires d'appropriation ;

– par la **prise en compte valorisante des valeurs et de la psychologie** de l'individu-élève tel qu'il est, ici et maintenant, et non tel qu'on le souhaite, grâce à la pratique d'outils comme le contrat ou l'entretien méthodologique qui lui transmettent de nombreux signes de reconnaissance positifs.

La diversité des processus d'apprentissage des élèves

La diversité de la motivation des élèves à travailler et à apprendre 82
L'hétérogénéité des âges 85
La diversité des rythmes 87
La diversité des stades de développement opératoire 90
La diversité de gestion des images mentales 91
La diversité des modes de pensée et des stratégies d'appropriation 93
La diversité des modes de communication et d'expression 95
L'hétérogénéité des prérequis 96

Il est impossible d'effectuer l'inventaire exhaustif des différents processus d'apprentissage puisqu'ils conservent de nombreuses zones d'ombre malgré l'essor de la recherche dans ce domaine. Cependant, on fournira ici des informations permettant de comprendre ce qui se passe lors de la construction d'un apprentissage. Nous allons ainsi étudier les différents paramètres des processus d'apprentissage.

La diversité de la motivation des élèves à travailler et à apprendre

Organisons des situations de pédagogie différenciée les plus riches, les plus variées, si l'élève n'a pas envie d'apprendre, il n'apprendra rien !

La motivation est la base de tout apprentissage, et il est bon de rappeler cette évidence. Si nous ne nous interrogeons pas lors de l'évaluation des processus, sur les raisons de la motivation ou de son absence, le diagnostic initial sera tronqué et le choix de la stratégie et de l'outil à mettre en œuvre dans la séquence prévue sera sans doute mauvais et inopérant.

Premier élément donc à cerner : la motivation. Elle est, dans le contexte scolaire, désir d'agir et d'apprendre. Elle peut être intrinsèque, c'est-à-dire née de l'action, ou extrinsèque, née d'une récompense extérieure. Elle diffère selon les élèves, en raison des multiples combinaisons possibles des facteurs suivants :

– **le sens** que l'élève trouve à l'apprentissage ;
– **l'orientation** de ses intérêts ;
– **le besoin** qu'il éprouve de l'effectuer ;
– **le plaisir** qu'il ressent à le faire ;
– **le degré d'énergie** dont il dispose pour l'entreprendre ;
– **l'image de soi et des autres** qu'il a intériorisée.

Il est évident qu'il y a d'autres raisons à la motivation, du domaine privé de chacun, qui restent inconnues et imprévisibles.

Le sens de l'apprentissage

Si un élève ne trouve pas un sens à l'apprentissage proposé, il l'effectuera avec réticence ou pas du tout. Ce sens comporte deux aspects.

1. Le sens général de l'apprentissage : sens à long terme

Il s'agit de sa place et de son importance dans l'ensemble du travail scolaire par rapport à l'avenir de l'élève. L'apprentissage dépend fortement de la situation socio-économique des familles, de leurs stratégies, des stéréotypes concernant les métiers que l'enfant pourrait exercer, mais, surtout, du degré de concordance entre les valeurs du milieu socio-culturel de l'élève et celles de l'école. Certains élèves disent «*À quoi ça sert que j'apprenne ceci ou cela..., de toute façon, je serai chômeur !...*» Je pense que certaines pratiques pédagogiques différenciées reconnaissant l'individu, tels le contrat ou l'entretien d'écoute active, permettent de clarifier ce sens.

2. Le sens particulier de l'apprentissage : sens à moyen et court terme

Il est contenu dans les buts, les objectifs et les conditions du travail à effectuer. Les théoriciens soviétiques de l'apprentissage, tels que Galperine, insistent sur l'importance d'une *base orientatrice* donnant du sens pour que l'élève entreprenne et réussisse une tâche.

> Un diagnostic de recherche attentive d'informations sur les itinéraires d'appropriation suivis par les élèves, et l'explicitation des objectifs opératoires à atteindre par une grille d'évaluation formative, comme le propose ce guide, participent à la prise de conscience du sens permettant ainsi d'éveiller la motivation.

L'orientation des intérêts de l'élève

Selon les étapes de leur développement biologique et psychologique, surtout à la puberté et pendant la crise de l'adolescence, les élèves ont de multiples intérêts autres et orientés vers l'extérieur de l'école, ce qui ne les porte pas ou peu au désir d'apprendre.

Le besoin que l'élève éprouve d'effectuer l'apprentissage

Il peut faire naître le désir qui restera très variable selon le contexte familial et les relations des élèves avec leurs maîtres car il peut recouvrir :

– le besoin de faire plaisir à quelqu'un dont il s'est fait un modèle ou dont il a peur : parents, enseignants, camarades, animateurs, etc. ;

– le besoin d'obtenir quelque chose de gratifiant : cadeau, sympathie, reconnaissance, meilleure note, relation privilégiée, etc. ;

– le besoin ponctuel de réaliser une activité en vue d'un projet plus vaste que l'élève s'est approprié.

La pédagogie de projet est, parmi les démarches de pédagogie différenciée, celle qui répond le mieux à la diversité des attitudes des élèves concernant leurs intérêts et leurs besoins.

Le plaisir ressenti à faire l'apprentissage

Très important, peut-être essentiel. Puisque le plaisir est à l'origine du désir, il revêt, à l'école, plusieurs aspects :

– le plaisir d'être acteur de l'apprentissage et non de rester passif dans une position statique ;

– le plaisir d'explorer et de découvrir par soi-même des éléments du travail demandé ;

– le plaisir de satisfaire un goût, un intérêt, une curiosité et même une passion, grâce à la reconnaissance de son vécu et de ses besoins personnels, comme dans les pédagogies du contrat et de projet ;

– le plaisir de comprendre ce qui est dit et montré en classe, ce qui renvoie à la démarche utilisée par l'enseignant et à sa prise en compte des stades de développement opératoire de ses élèves ;

– le plaisir de mener à son terme un projet, sous forme de réalisations observables et reconnues par les autres.

Le degré d'énergie dont l'élève dispose pour entreprendre un apprentissage

Un élève surmené ne poursuivra pas longtemps une tâche même s'il le désire. Ce manque d'énergie disponible découle, bien sûr, de son état de santé et des étapes de son développement biologique, mais aussi du fait que, des emplois du temps scandaleusement longs et lourds, joints à une charge de travail à effectuer à la maison hors de proportion avec ses possibilités, ne respectent pas ses rythmes de vigilance et d'activité.

L'image de soi et des autres

Selon que l'image de soi, intériorisée au cours de la scolarité, sera positive ou négative, l'élève sera plus ou moins motivé pour apprendre. S'il se dévalorise en pensant qu'il est *un imbécile*, qu'il ne comprend pas, que de toute façon il n'a jamais rien compris, qu'il n'y arrivera jamais...(des élèves disent cela avant même de regarder ce qu'ils ont à faire ! ...), il n'aura aucune envie de travailler. L'image des autres aussi est importante dans le processus de la motivation car, si l'élève a confiance et/ou de l'affection pour les adultes à qui il a affaire, son désir peut naître ou renaître, et sera conforté ou freiné selon l'attitude de ces personnes.

Toute activité pédagogique d'écoute, d'échange (techniques de travail de groupe, par exemple) et de mise en situation concrète de réussite (grille d'auto-évaluation formative) permet de lutter contre une image de soi négative et d'enclencher une transformation, lente, sujette à des retours en arrière décevants et tristes, mais réelle, vers une image positive, moteur essentiel de l'énergie à entreprendre.

L'hétérogénéité des âges

Continuant actuellement à s'accroître, l'hétérogénéité des âges est rarement le facteur positif d'échanges et de progrès que les enseignants pourraient espérer d'après les thèses du développement de la maturation et de la socialisation chez les élèves âgés[1]. En fait, plus les élèves sont âgés et plus ils se ferment, se bloquent, ne mettent aucune énergie à comprendre l'apprentissage proposé et vont jusqu'à rejeter parfois leurs enseignants, leurs camarades, l'école entière[2]. Les résultats de l'enquête sur dix collèges expérimentaux confirment ce fait en montrant que les notes diminuent lorsque l'âge des élèves augmente et que 1,3 % seulement des élèves âgés sont au stade formel en entrant en 6e, alors que 30,7 % des élèves qui ont un an d'avance (âge 1) l'ont atteint (fiche 25).

Étant donné l'importance du *stade formel* pour la réussite scolaire, puisqu'il permet de suivre le discours enseigné souvent fondé sur le raisonnement abstrait, on comprend mieux alors une des origines des difficultés de ces élèves âgés. La théorie de la maturation[3], selon laquelle le développement cognitif d'un enfant s'effectue grâce à l'interaction entre ses processus biologiques de maturité lorsqu'il grandit et la richesse d'un enseignement devenu plus intéressant, insuffisante à expliquer ce constat, nous conduit à introduire ici le facteur psycho-affectif dans les mécanismes opératoires.

1. A. Gesell, *L'Adolescent de 10 à 16 ans*, PUF, 1959.
2. B. Zazzo, *Les 10-13 ans, garçons et filles en CM2 et en 6e*, PUF, 1982.
3. J. Piaget, *La Psychologie de l'intelligence*, A.Colin, 1967.

Une majorité de chercheurs en neurophysiologie du cerveau comme en psychopédagogie le reconnaissent comme primordial. Pour eux, toute construction mentale d'un apprentissage est l'intégration de nouvelles données et l'acquisition de nouveaux comportements en fonction d'associations émotionnelles où le cerveau limbique (ou paléocortex) et l'hypothalamus jouent un rôle.

Le cerveau limbique, en effet, participe à la production et à l'intégration des croyances : si l'élève âgé a intériorisé au cours de sa scolarité antérieure une image négative de lui-même due à son retard, ses redoublements (eux-mêmes reflets de graves difficultés cognitives) et son inconfort de se retrouver plus grand, plus mûr, plus *vieux* que les autres élèves, cette croyance sera si chargée émotionnellement qu'elle pourra inhiber son développement opératoire.

L'hypothalamus, contrôlant l'état des émotions, peut ordonner, s'il est affecté, de *fermer les portes* des synapses qui laissent passer les informations véhiculées de neurone en neurone par les neurotransmetteurs du cerveau. Par certains de ces médiateurs chimiques, comme la noradrénaline, une information nouvelle circule, puis est traitée et classée (attention et compréhension) éventuellement stockée si l'ordre en a été donné (mémorisation) et enfin réactivée s'il le faut (consolidation et restitution).

Aussi, quand nous parlons de *blocage* des élèves plus âgés, ce n'est pas une image mais une réalité que nous décrivons. Ainsi, lorsque ces élèves sont interrogés sur leurs difficultés (enquêtes[1] du *Monde de l'éducation* et de l'*École des parents*[2]), ils ont tous à raconter un événement déterminant de leur passé scolaire et/ou familial – les deux aspects se renforçant mutuellement très souvent – qui provoqua en eux une telle cassure psycho-affective qu'elle les conduisit peu à peu à prendre leurs distances soit vis-à-vis de l'enseignant qui la déclencha, soit vis-à-vis du système scolaire tout entier qui fut un lieu d'incompréhension et d'insécurité par rapport à leur(s) problème(s). Un engrenage s'opère alors : les émotions négatives bloquent les mécanismes d'apprentissage, les mauvais résultats s'accumulent, renforçant d'autant plus ce blocage et le rejet si bien qu'un élève, arrivé dans la classe suivante avec un an ou deux de retard, s'y sent mal à l'aise et a des comportements de plus en plus négatifs, passifs ou agressifs, dévalorisants ; son âge, facteur positif dans sa vie personnelle, devient une gêne.

L'âge apparaît donc comme une variable discriminatoire : si les enfants ont un rythme différent de développement opératoire, pourquoi les répartir selon l'âge légal, critère absolu et rigide vidé de son sens ?

1. N° 67, déc. 1980, p. 8 et J.-P. Changeux, *L'Homme neuronal*, Fayard, 1983 (et Pluriel, 1986).
2. Enquête de Mme L'Hôte, psychologue au Centre Alfred Binet, dans un collège parisien en 1980-1981.

Deux réponses possibles à cette hétérogénéité :

1. Pratiquer des techniques de travail de groupe où la dynamique ainsi créée enrichira l'interaction entre les élèves d'âges différents, permettant aux plus âgés d'apporter réellement au groupe *leurs bagages*, c'est-à-dire leurs acquis et leurs cadres de référence spécifiques.

2. Élaborer un projet pédagogique particulier comme une aide individualisée méthodologique et psycho-pédagogique ou une *classe-palier* où le programme s'effectue en deux ans selon des processus différenciés (comme cela se pratique déjà dans de nombreux *collèges rénovation*) en regroupant alors les élèves selon le critère de l'âge.

Échelle collective de développement logique

Répartition des élèves de dix collèges expérimentaux en fonction de leur appartenance socioprofessionnelle et de leur âge selon les trois catégories distinguées par l'E.C.D.L. (Échelle collective de développement logique).

Catégorie	Effectif	% d'élèves au stade concret	% d'élèves au stade intermédiaire	% d'élèves au stade formel
CSP 1	143	19,4	65,9	14,5
CSP 2	577	37,7	53,6	8,6
CSP 3	765	53,0	44,6	2,3
Âge 1	52	19,2	50,0	30,7
Âge 2	887	33,9	58,6	7,4
Âge 3	561	62,0	36,7	1,2

Age 1 = 1 an d'avance.

Âge 2 = âge normal.

Âge 3 = 1 an de retard ou plus (ne concerne pas uniquement les enfants nés en 1966 mais aussi ceux qui sont nés en 1965, 1964...

N.B. : le total n'est pas le même dans les deux variables (CSP et âge), car nous n'avons retenu que les élèves dont le renseignement sur la variable figurait clairement sur la fiche de base.

La diversité des rythmes

La méconnaissance de la diversité des rythmes de vigilance, d'effort, d'échanges sociaux et de mémorisation chez les élèves engendre des erreurs qui, se perpétuant dans la gestion de l'emploi du temps et des cours, font subir à leur santé physique et nerveuse des conséquences parfois irrémédiables. Ces rythmes sont biologiques et leur divergence avec les rythmes scolaires provoque, en effet, un stress qui conduit les élèves à puiser de plus en plus dans leurs réserves d'énergie[1]. Alors, certains *débranchent* par instinct de survie, et ils seront étiquetés *apathiques*, *pas motivés*, *paresseux*, *rêveurs*. D'autres, poussés par de fortes pressions intériorisées, représentées par leurs parents, l'enseignant, les camarades, la note, le système..., dépassent leurs possibilités, et c'est le surmenage. Celui-ci se traduit en classe par l'agitation ou le désintérêt, l'absentéisme et diverses *petites* maladies dues à une fragilité accrue aux virus. Les travaux de H. Montagner[2], A. Reinberg[3] et G. Vermeil[4] montrent que la vigilance, l'effort, les échanges sociaux, la mémorisation, tous utiles pour apprendre, suivent un rythme biologique circadien (autour de 24 heures) avec des pics et des creux qui, selon l'âge, la personnalité (*grands* ou *petits* dormeurs, par exemple), la santé, les *donneurs de temps* familiaux (l'heure du réveil, l'alimentation...) et sociaux (horaire de travail des parents, ramassage scolaire, emploi du temps) se déclenchent un peu plus tôt ou plus tard.

■ La vigilance

Augmentant vers 8 h 30 – 9 h, elle atteint un pic vers 10 h – 10 h 30 pour baisser ensuite. Un creux, marqué par la somnolence, la faim, la fatigue, s'installe vers 11 h – 11 h 30 jusqu'à 14 h 30 – 15 h 30, le pire moment étant 14 h (pour les adultes, par exemple, le nombre d'accidents routiers augmente alors). Vers 14 h 30 –15 h 30, la vigilance remonte et présente un deuxième pic vers 20 h pour diminuer dans la nuit jusqu'au second creux de 3 h du matin.

Ces rythmes varient aussi en fonction de la répartition des jours de travail dans la semaine et de l'emploi du temps.

1. La répartition des jours de travail dans la semaine

Les pics sont les moins hauts et les creux les plus bas le 1er jour de la reprise de l'activité, si bien que cette matinée (le lundi, en général) est le pire moment pour des apprentissages difficiles. Après toute coupure des rythmes biologiques, même la plus agréable comme peut l'être celle du week-end, le corps cherche à se réadapter et il utilise alors toute l'énergie disponible dans l'individu. Les pics se régulent ensuite pour atteindre un optimum le jeudi et le vendredi matin, la coupure du mercredi, si elle existe, ne provoquant pas le même déséquilibre.

2. L'emploi du temps

Sa durée accentue les creux si bien que faire supporter 6 à 7 heures de cours par jour à des enfants et des adolescents provoque un stress répétitif, douloureux et... révoltant !

---

1. H. Montagner, *Les Rythmes de l'enfant et de l'adolescent*, Stock, 1983.
2. *Op. cit.*
3. A. Reinberg et J.Ghatta, *Les Rythmes biologiques*, Que sais-je ? n° 734.
4. G. Vermeil et J. Levine, *Les Difficultés scolaires*, rapport pour le 26e congrès de pédiatres de langue française.

La durée de la vigilance suit aussi un rythme, lié aux cycles du sommeil, qui varie selon les enfants : elle va de dix minutes par heure pour ceux qui ont entre 6 et 12 ans environ, à vingt minutes pour les 13–18 ans, tout en restant très individuelle comme, par exemple, chez les enfants de six ans, la capacité de travail valable serait de deux heures environ par jour, d'après les travaux de Chambost[1] et Magnin[2].

L'effort et les échanges sociaux

Ces deux conditions exigées sans cesse par les enseignants pour entreprendre un travail suivent un rythme calqué sur celui de la vigilance.

1. L'effort

Les élèves qui ont un creux de vigilance écoutent moins bien, bâillent, pâlissent, s'agitent ou se reposent, et même *tombent* de sommeil avec un regard éteint. Ils sont alors incapables, bien sûr, d'agir, si bien que les performances les plus faibles se situent vers 8 h du matin et dans le creux de 12 h – 14 h.

2. Les échanges sociaux

Ils présentent deux moments de saturation, marqués par des agressions verbales ou physiques et des comportements extrêmes (isolements, refus, pleurs même), correspondant aux creux de 10 h 30 – 11 h 30 et en début d'après-midi. D'après A. Reinberg, si l'on organise alors vingt minutes de détente, la vigilance, les apprentissages cognitifs à travers l'action et l'échange sont relancés et favorisés.

3. La mémorisation

Par son rythme, elle se démarque des précédents, car la mémoire à court terme augmente de 8 h à 10 h, et la mémoire à long terme, nécessaire à la consolidation et au transfert pour mieux restituer, est supérieure l'après-midi[3].

Les réponses possibles de la pédagogie différenciée pour prendre en compte, de façon positive, cette diversité des rythmes consistent à :
- proposer le réaménagement de l'emploi du temps, argumenté à partir des données de la chronobiologie évoquées ci-dessus ;
- réorganiser son enseignement en fonction des heures où il se déroule, en laissant, par exemple, les explications complexes et/ou abstraites pour les pics de vigilance, et en offrant plutôt des activités brèves, coordonnées, variant à intervalles réguliers (trois fois 20 minutes environ) grâce à des techniques de dynamique de groupe pour prendre davantage en compte le corps par le mouvement, la parole, la détente, le rire... pendant la plage 11 h-14 h.

1. Chambost et al, «Une expérience d'aménagement d'horaires dans l'enseignement élémentaire», in *Revue française d'Hygiène et de Médecine scolaire* 1963.
2. Magnin et al, «Une approche des rythmes scolaires à travers deux thèses de médecine» in *Revue française d'Hygiène et de Médecine scolaire*, 1975.
3. Paul Fraisse, *L'homme malade de temps*, Stock, 1979.

La diversité des stades de développement opératoire

Selon la théorie constructiviste de Piaget[1], trois stades jalonnent le développement opératoire des structures cognitives :

- **le stade concret** qui permet de comprendre par l'action sur la réalité ;
- **le stade formel** de la pensée hypothético-déductive qui permet de raisonner par l'abstraction et la théorisation ;
- **le stade intermédiaire** qui, selon l'activité et la situation d'apprentissage, fait appel au stade concret ou formel.

L'enquête, déjà citée, qui utilise l'*Échelle collective de développement logique* (E.C.D.L. dans le tableau 25 p. 87), test d'inspiration piagétienne[2], montrait que, en moyenne, à l'entrée en 6e :

- 44 % des élèves étaient au stade concret ;
- 50 % des élèves étaient au stade intermédiaire ;
- 6 % des élèves étaient au stade formel.

Il serait dangereux, certes, d'utiliser ces informations comme alibi pour *trier* et classer les élèves : d'un côté, les *concrets* à qui l'on servirait une sauce pédagogique comprenant du *manuel* déguisé en technologie nouvelle... et, de l'autre, les *formels* à qui l'on offrirait le *top niveau* de l'enseignement ! La tentation de constituer des filières est si forte parfois ! Ces stades de développement opératoire ne sont en rien des critères de jugement de la valeur des élèves, mais un éclairage jeté sur leurs processus d'apprentissage pour guider le choix des activités qui prendraient l'élève là où il est pour le conduire au formel par une succession d'opérations hiérarchisées, tout en considérant que ces stades sont fluctuants, surtout à l'adolescence.

Ce sont plutôt des *registres* de fonctionnement cognitif dont l'élève, même au stade formel, peut ne pas se servir pour des raisons de blocage psychologique. Dans les programmes de 6e en histoire, par exemple, la notion de chronologie et de temps doit être acquise, et qui plus est, en début d'année ! C'est aussi abstrait que... l'espace qu'il faut aussi comprendre à travers les coordonnées géographiques ! Même des adultes, parfois, ne l'ont pas vraiment maîtrisé, faute de formalisation suffisante !

Pourquoi ne pas décider alors, face aux blocages d'une majorité d'élèves, d'y renoncer pour laisser la maturation s'effectuer et reprendre cette notion plus tard, en préparant son introduction par des étapes graduées, du concret vers le formel ? Et il y aurait de nombreux exemples dans toutes les disciplines, de l'école au lycée que le lecteur a sûrement en tête.

1. J. Piaget, *La Psychologie de l'intelligence*, A. Colin, 1967, *op. cit.*
2. Élaboré par l'INOP (Institut national d'orientation professionnelle) comprenant 4 sous-tests à support verbal, graphique ou figuratif.

La diversité de gestion des images mentales

Entrer, comme élément du diagnostic initial, la diversité de gestion des images mentales, apporte un éclairage plus approfondi sur les itinéraires d'appropriation des élèves. L'attention, l'imagination, la mémorisation, la compréhension et la restitution, processus nécessaires à l'acquisition d'un apprentissage, sont, en effet, des gestes mentaux qui s'effectuent toujours sous forme d'*images mentales* : elles consistent en *évocations des informations à intégrer*, pouvant se prolonger par des activités verbo et/ou scripto-motrices.

Le fait de ne pas tenir compte de l'image mentale dans l'enseignement provoque plusieurs sortes de difficultés au niveau des enseignants comme des élèves.

Les images mentales naissent des perceptions de nos sens. Il existe des images mentales :
- **auditives,** nées de l'audition ;
- **visuelles,** nées de la vision ;
- **olfactives,** nées de l'odorat ;
- **gustatives,** nées du goût ;
- **kinesthésiques,** nées de la combinaison, à des degrés variables, du toucher, de l'équilibre, de la proprioception (place et mouvement des muscles), de la température et de la douleur, ces quatre derniers sens étant reconnus comme tels à la fin du XIXe siècle et ajoutés à la classification ancienne d'Aristote.

Dans la culture occidentale, les images mentales les plus utilisées sont les images visuelles et auditives. Gérer une image mentale visuelle consiste à revoir dans sa tête la donnée à apprendre, comprendre, restituer. Gérer l'image mentale auditive consiste à redire dans sa tête cette donnée.

La gestion des images mentales s'effectue selon quatre paramètres différents[1]. On peut évoquer :
- **les personnages,** les choses, les scènes ;
- **les mots,** leurs formes, leur aspect, leurs sons, et les phrases, leur structure et leur rythme ;
- **les opérations complexes,** selon lesquelles on relie les choses, les personnages, les scènes (paramètre 1) aux mots (paramètre 2) ;
- **les opérations élaborées** qui combinent les trois paramètres précédents pour permettre le raisonnement abstrait.

Nous utilisons surtout l'image mentale visuelle et auditive, parfois la kinesthésique, en variant les paramètres selon l'apprentissage à effectuer : un *auditif* se racontera les détails qui l'aident à s'orienter la première fois (*«Là, devant le panneau jaune, je tourne..., puis au niveau du fleuriste...»*) tout en photographiant aussi quelques points de repère qui, pour retrouver le même lieu une autre fois, baliseront sa restitution, même si celle-ci se fera d'abord sous la forme auditive ; le cerveau, en effet, privilégie en premier une forme et déclenche ensuite les autres images mentales : l'imagination alors se déploie.

1. Selon A. de la Garanderie, *Les Profils pédagogiques : discerner les aptitudes scolaires*, Centurion, 1980.

Au niveau des enseignants

Il arrive que des enseignants communiquent et évaluent par un canal de communication déterminant, lié fortement à un type privilégié d'image mentale. Ainsi, un professeur de mathématiques[1] ou de sciences naturelles, gérant plutôt des images mentales visuelles, écrira au tableau une démonstration en répétant : *«Vous voyez que...»* ou *«Nous observons que...»*, le *voyez* lui paraissant si *évident* qu'il sert d'explication, et pourtant... l'élève auditif sera alors perdu, car, pour lui, un graphique, des formes, des chiffres qui s'alignent ne signifient rien en tant que représentations mentales : il les voit, bien sûr, mais ne les évoque pas visuellement[2].

Si son professeur, en revanche, dit à haute voix ce qu'il écrit et verbalise chaque opération, il pourra se les répéter et comprendre car il pourra passer par son image mentale auditive pour traiter et intégrer ces données nouvelles. Dans l'évaluation aussi, on peut noter l'importance de l'influence de l'image mentale privilégiée du professeur ; ainsi, un professeur d'histoire, gérant plutôt des images mentales auditives, aura tendance à surévaluer ses élèves auditifs car ils sauront raconter ce que lui-même a dit et pénalisera, involontairement, les élèves visuels qui, ne s'étant pas approprié les informations dites, n'ont que quelques points de repère, peu nombreux et flous.

Au niveau des élèves

Il y a plusieurs origines possibles à certaines de leurs difficultés ; il peut y avoir :

– **un problème d'images mentales floues, imprécises, inexactes** parce que les sens qui les ont fait naître présentent une baisse d'acuité : un élève visuel, par exemple, qui voit mal, et surtout un élève auditif qui entend mal, car ce manque est rarement évalué à l'école, restitueraient de façon incomplète les informations photographiées ou enregistrées dans leur tête ;

– **un problème dû à la transformation interne d'une information** vue en une information dite dans la tête, et vice-versa : un élève, par exemple, recopie avec des erreurs d'orthographe ce qui est au tableau en oubliant les *s*, les *ent*, et les doubles lettres car, gérant auditivement, il lit en se répétant les informations inscrites mais il ne s'entend pas dire les *s*, les *ent*, ni les doubles lettres au moment de la restitution par écrit sur sa feuille !

1. A de la Garanderie, article du *Monde de l'éducation* n° 86, sept. 1982.
2. *La Pédagogie des moyens d'apprendre : les enseignants face aux profils pédagogiques*, Le Centurion, 1982.

Il est donc utile de prendre en compte cette diversité de gestion des images mentales à la fois dans le diagnostic initial et par une pédagogie différenciée d'aide méthodologique, qui en est une des stratégies possibles. A. de la Garanderie[1], ancien professeur de philosophie, a repris ce constat pour proposer une pédagogie des apprentissages, fondée sur la gestion adéquate et améliorée de leurs images mentales par les élèves. Elle a été mise en place dans de nombreux établissements, et donne d'excellents résultats[2].

La diversité des modes de pensée et des stratégies d'appropriation

Nous avons vu l'importance de la motivation et des stades de développement opératoire pour réaliser un apprentissage, mais il est intéressant aussi de s'interroger sur les manières de procéder pour acquérir un savoir, elles sont très différentes d'un élève à l'autre[3]. Ces manières de procéder, styles cognitifs, combinent des modes de pensée et stratégies particuliers à chaque individu.

Modes de pensée

Ces opérations mentales sont utilisées dans tout acte intellectuel[4].

1. La pensée inductive

Elle part de plusieurs faits afin d'inférer une loi qui permet ensuite d'ordonner et de comprendre ces faits. Elle est utilisée dans l'enseignement lorsqu'il y a un regroupement et un classement d'éléments en fonction d'un point commun ou d'une relation commune, et des situations où les élèves peuvent élaborer des lois qui rendent compte d'une série de phénomènes, comme c'est souvent le cas en sciences physiques, sciences naturelles, géographie, grammaire.

2. La pensée déductive

Elle part d'une loi, d'un fait, d'un événement afin d'inférer plusieurs conséquences et une conclusion. Elle est aussi souvent utilisée en classe, pour l'explication de textes ou une démonstration mathématique par exemple.

3. La pensée créatrice

Elle consiste à créer, selon des itinéraires et des agencements inattendus, un élément nouveau par la mise en relation d'éléments appartenant à des domaines différents. Sauf dans certaines matières, comme la musique, les arts plastiques, l'éducation manuelle et

1. A. de la Garanderie et C. Cattan, *Tous les enfants peuvent réussir*, Le Centurion, 1988.
2. M.-F. Belmont, *Aide méthodologique personnalisée en 6e*, C.D.D.P. de Reims, 1988.
3. B.-M. Barth, *L'Apprentissage de l'abstraction*, Retz, 1987.
4. P. Meirieu, *Apprendre... oui mais comment*, E.S.F., 1987.

technique, le français, ce mode de pensée est peu sollicité à l'école française. Cela est tout à fait dommage car le cerveau des élèves ne travaille pas alors selon toutes ses richesses : les potentialités de l'hémisphère droit, qui est celui du rêve, des sensations, des couleurs, de l'intuition, de l'imagination, de la synthèse et de la pensée analogique (pour la majorité des personnes si elles sont droitières), ne sont pas toutes utilisées si l'on fait surtout appel, comme c'est le cas, à la pensée logique qui est celle de l'hémisphère gauche.

4. La pensée dialectique

Elle conçoit les rapports entre différentes réalités abstraites par comparaison et elle élabore ainsi des systèmes.

5. La pensée convergente

Elle a pour objet la découverte d'une seule bonne réponse ; elle est fréquente dans les enseignements scientifiques.

6. La pensée divergente

Elle produit plusieurs manières de résoudre un problème et plusieurs réponses ; elle est très liée à la pensée créatrice.

7. La pensée analogique

Elle établit des rapports de ressemblance entre des objets différents[1].

Stratégies d'appropriation d'un contenu

Elles sont nombreuses mais peuvent être classées en deux grands types : la stratégie globale ou synthétique et la stratégie analytique.

1. La stratégie globale synthétique

L'élève fait une hypothèse initiale à partir de la somme de tous les attributs montrés dans un premier exemple. Il utilise cette hypothèse, émise par une démarche intuitive de l'hémisphère droit, comme guide, pour continuer à chercher et comprendre l'apprentissage demandé, et la révise en la comparant aux nouveaux exemples. Elle a les meilleurs résultats car elle ne demande pas beaucoup de mémoire.

2. La stratégie analytique

L'élève se fixe sur un attribut et passe à un autre lorsqu'il a vérifié que le précédent revient ; sinon, il doit utiliser sa mémoire pour choisir une autre combinaison possible ; cette stratégie est longue et demande un grand effort de mémoire mais elle obtient plus d'informations que la stratégie synthétique[2].

1. J.-P. Astolfi, *Compétences méthodologiques en sciences expérimentales*, I.N.R.P., 1986.
2. Bruner, Grodnow & Austin, *S. Wiley & Sons*, 1956.

3. La stratégie en série

L'élève ajoute chaque fois un nouvel élément aux acquis antérieurs[1] ainsi :

$$A \rightarrow B \quad AB \rightarrow C \quad ABC \rightarrow D \rightarrow ABCD$$

et il les reproduit comme il les a acquis.

4. La stratégie de regroupements partiels

L'élève réorganise les données et les restitue ainsi :

$$A - B = AB - C - D = CD \rightarrow ABCD$$

Pour conclure sur cette hétérogénéité très particulière, il est souhaitable d'organiser des situations pédagogiques les plus diversifiées possibles, faisant appel simultanément aux deux stratégies de base (synthétique et analytique) selon des modes variés (pensée inductive, déductive, créatrice, dialectique) pour que les deux hémisphères travaillent en interaction continue : ainsi, l'hémisphère gauche, qui est celui du langage, du linéaire, de l'analyse, et de la structuration des connaissances échange des informations avec l'hémisphère droit par le corps calleux.

La diversité des modes de communication et d'expression

Les élèves sont très différents, dans leurs processus d'apprentissage, leurs façons de s'exprimer et de communiquer.

Leur réseau de relations préféré

Certains préfèrent travailler seuls, d'autres en groupe ; certains ne communiquent qu'avec l'enseignant et d'autres plutôt avec leurs camarades, tandis que quelques-uns ont autant d'aisance avec les uns qu'avec les autres, facilitant même l'interaction et en étant souvent des leaders.

Leur mode d'expression préféré

Certains s'expriment mieux à l'oral, d'autres à l'écrit, d'autres par le geste, d'autres enfin par l'art, et leur façon d'être attentifs peut varier, allant du calme immobile à l'activité dynamique.

Leur degré de guidage accepté

Les élèves sont aussi différents dans le degré de structuration de l'apprentissage qu'ils désirent et le degré d'incertitude qu'ils peuvent accepter[2]. Certains demandent à l'enseignant plus d'informations et

1. Pask & Scott, «Learning strategies and individual competence», *International I. of Man-Machine Studies* n° 3, 1972.
2. J. Berbaum, «Sur les styles d'apprentissage ou comment les élèves apprennent-ils ?», in *Apprentissage et didactique* n° 51, IREM, mai 1985.

de supports structurants (plans, précision sur les objectifs, répétition des explications) et sont moins à l'aise pour choisir, évaluer, organiser leur travail.

Leur rapidité de réaction

Certains répondent rapidement, mais en commettant souvent des erreurs, tandis que d'autres ont besoin d'un temps plus long pour réagir et réfléchir.

L'hétérogénéité des prérequis

Elle est importante à diagnostiquer par une évaluation, qui peut rester sommative, car la façon d'apprendre des élèves varie aussi en fonction de ce qu'ils savent déjà. Quand ils arrivent dans une classe, ils ont assimilé très inégalement le même programme, et selon qu'ils maîtrisent bien, peu ou pas du tout les prérequis, entrent aussi en jeu, de manière assez importante, les différences de mémoire : les élèves, en effet, ont des mécanismes de mémorisation variables selon les situations. Ainsi, cette diversité porte sur la mémoire à court terme et sur la mémoire à long terme.

La mémoire à court terme ou primaire

En quelques secondes, elle saisit et confronte les informations en permettant la mobilisation des connaissances.

La mémoire à long terme ou secondaire

Elle restructure les données antérieures en les analysant pour y intégrer des données nouvelles : elle est donc très importante dans tout apprentissage[1]. Elle fait que les élèves sont différents dans la familiarité avec le matériel à mémoriser et sa signification.

1. J. Berbaum, *Apprentissage et formation*, Que sais-je ? n° 212, 1984.

Un exemple de séquence de pédagogie différenciée

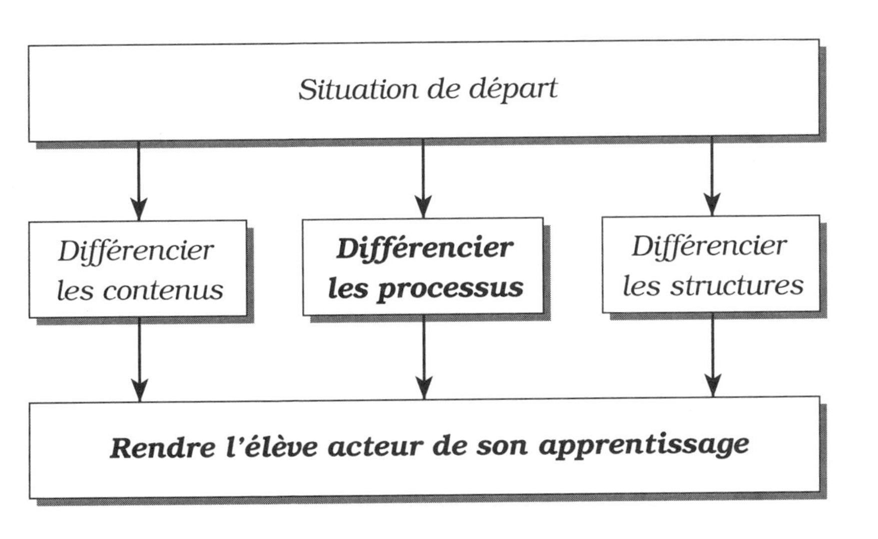

Situation de départ

Niveau : Une classe de 5e en histoire.

Encadrement : Un professeur et un documentaliste qui se concertent régulièrement.

Durée : Une séquence d'une heure.

Lieu : La séquence se déroule au C.D.I. et non dans la salle de classe.

But de la séquence : Présenter l'art roman de manière différenciée.

Place dans la progression : Après un cours sur l'Église au Moyen Âge suivi d'un diagnostic portant à la fois sur ce cours et sur les connaissances des élèves concernant l'art médiéval.

Différencier les contenus

Selon les résultats du diagnostic, le professeur, en concertation avec le documentaliste, avait regroupé les élèves en trois groupes :

groupe 1 : les élèves ayant très peu de connaissances ;

groupe 2 : les élèves possédant le vocabulaire ;

groupe 3 : les élèves ayant les prérequis nécessaires.

Différencier les processus

■ Première étape

Elle prend la forme d'une discussion animée par l'enseignant.

■ Seconde étape

La démarche de base est le travail autonome enrichi de l'utilisation de supports et de stratégies différentes.

1. Des supports différents :

– Le groupe 1 travaille sur une maquette : manipulation d'un plan d'églises latine et grecque pour en trouver les éléments, aidé d'un plan photocopié distribué et d'un questionnaire court et simple.

– Le groupe 2 travaille sur les documents iconographiques de leur manuel avec un questionnaire plus détaillé que celui du groupe 1, pour mener la même recherche ; les élèves peuvent utiliser d'autres documents, éventuellement.

– Le groupe 3 travaille sur un texte avec questionnaire joint.

2. Des stratégies différentes

– Le groupe 1 travaille de façon semi-directive avec l'enseignant qui l'aide à répondre au questionnaire : la stratégie choisie pour ce questionnaire est analytique et part de l'observation d'une situation concrète pour inférer des notions.

– Le groupe 2 travaille avec le documentaliste selon la technique du 2-4-8 (voir p. 138) réduite aux phases 1, 2, 4 et à une durée plus courte.
– Le groupe 3 travaille seul, suivant une grille de co-évaluation formative.

Troisième étape

La synthèse collective s'effectue à partir de l'observation de 5 à 6 diapositives pendant 5 minutes, puis chaque groupe est interrogé pour les commenter. Les élèves notent tous, en même temps que le professeur au rétroprojecteur, les noms qui ont été trouvés, par-dessus chaque diapositive.

Dernière étape

Elle consiste en un travail de consolidation personnel au C.D.I. sur les autres styles artistiques du Moyen Âge, avec un contrat pour certains.

Différencier les structures

Préparation

La classe reste entière pendant 5 minutes pour analyser les résultats du diagnostic initial qui sondait ce que les élèves savaient sur l'art médiéval roman (malentendus, distorsions...) : le professeur clarifie et définit certains termes à partir de ce constat.

Travail en groupes

La classe est divisée en trois groupes pendant 30 minutes pour travailler selon une démarche de travail autonome sur l'art roman.

Synthèse collective

La classe se regroupe pendant 15 minutes pour la synthèse collective.

Rendre l'élève acteur de son apprentissage

Cet exemple montre que différencier les processus d'apprentissage signifie, pour l'enseignant, varier ses démarches pédagogiques en utilisant comme pratique *de base* le travail autonome : sans la présence de groupes d'élèves ainsi organisés, l'enseignant ne peut être disponible pour tous.

Le travail autonome peut se pratiquer :

• selon une démarche de base où la différenciation portera sur les stratégies utilisées pour remédier aux difficultés particulières des élèves, cernées grâce au diagnostic initial ;

• selon une démarche enrichie par l'utilisation d'outils spécifiques tels :

– l'auto et la co-évaluation formative,
– le contrat,
– la pédagogie de projet,
– les techniques de travail en groupe.

Ces outils possèdent en effet des caractéristiques communes qui augmentent les chances de réussite des élèves. Tous sont des outils pédagogiques de **cadre souple** dont nous avons déjà vu l'intérêt pour provoquer le déblocage cognitif et conduire les élèves à progresser.

Ils présentent tous des situations où l'élève est acteur de son apprentissage. L'élève a la possibilité de participer à son élaboration en cherchant, en explorant et découvrant, en effectuant plusieurs essais pour rectifier ses erreurs. Or, des observations faites auprès d'enfants en train d'apprendre un nouveau jeu montrent que le fait d'être actif et d'avoir droit à l'erreur éveille le désir d'agir et la curiosité pour continuer.

Tous ces outils poussent l'élève à prendre des initiatives, à faire des choix, à prendre des décisions, ce qui constitue les premières étapes de l'apprentissage de l'autonomie et de la responsabilité.

Il permettent tous, à un moment ou à un autre, des réussites ponctuelles ou plus larges, si bien qu'ils conduisent les élèves en échec à retrouver confiance en eux-mêmes et, souvent, par petites touches, à transformer l'image de soi négative, intériorisée depuis longtemps parfois, en une image positive, moteur essentiel de la motivation à apprendre.

Ces outils favorisent tous une interaction sociale riche et animée entre les élèves eux-mêmes, ce qui constitue un des facteur de la réussite des apprentissages.

Ils peuvent parfois, enfin, améliorer les relations enseignés/enseignants en proposant un mode de fonctionnement différent de celui du cours magistral et en instaurant la communication à double sens, faisant que l'enseignant devient lui aussi enseigné.

Selon l'outil choisi, ces caractéristiques communes sont plus ou moins intenses, si bien que, selon la classe, selon le moment, selon l'objectif, l'enseignant déterminera quels aspects lui permettront d'enrichir sa démarche fondamentale de travail autonome.

La mise en œuvre pratique

Cette partie développe la démarche de base nécessaire pour mettre en œuvre une pédagogie différenciée. Le travail autonome consiste à faire participer l'élève à la construction d'un apprentissage en lui laissant la liberté de s'organiser et de se prendre en charge. Cette démarche s'enrichit de l'utilisation d'outils pédagogiques spécifiques qui ont comme point commun d'être des cadres souples favorisant au maximum le développement cognitif des élèves. L'auto-évaluation formative est ainsi présentée comme une démarche responsable où l'élève est conduit à s'interroger sur son travail et à chercher des stratégies correctives pour progresser. La pédagogie de contrat, ainsi que la pédagogie de projet, constituent une aide puissante au progrès et à la réussite. Des techniques de groupe, enfin, offrent la perspective d'une amélioration de l'interaction sociale et cognitive des élèves. Cette mise en œuvre s'accompagne d'une différenciation des contenus et des structures.

SOMMAIRE

Le travail autonome et l'évaluation 102

La pédagogie de contrat............. 121

Les techniques de travail en groupe... 134

La différenciation des contenus 145

La différenciation des structures 148

Le travail autonome et l'évaluation

Les objectifs du travail autonome 102
La méthodologie pour la mise en place de la démarche de base du travail autonome 104
Les difficultés 106
Les stratégies de remédiation 106
L'auto et la co-évaluation formative 107
En quoi cette pratique est-elle formatrice ? 108
Comment élaborer une grille d'auto et de co-évaluation formative ? 111
Comment pratiquer l'auto-évaluation formative ? 113

La démarche de base du travail autonome consiste à faire participer l'élève à la construction d'un apprentissage en lui laissant la liberté de s'organiser et de se prendre en charge à l'intérieur comme à l'extérieur du cadre scolaire. Son action porte à la fois sur le contenu et sur les processus.

• **Dans le contenu :** il peut proposer des sujets ou diriger son attention vers d'autres thèmes suggérés par la présentation de documents variés.

• **Dans le processus :** il peut prendre des initiatives et des responsabilités à la fois pendant la préparation et pendant le déroulement du travail.

Non seulement cette démarche est nécessaire à la pratique d'une pédagogie différenciée, mais encore elle a l'avantage de favoriser l'atteinte d'objectifs méthodologiques, comportementaux et cognitifs : aux différents partenaires de déterminer quel type ou quelle combinaison d'objectifs seront à privilégier dans la séquence[1].

Les objectifs du travail autonome

■ Les objectifs méthodologiques signifiés par le mot *travail*

La pratique du travail autonome permet aux élèves d'atteindre trois objectifs.

1. *Le travail autonome : comptes rendus d'expérience*, C.N.D.P., 1981.

• **Acquérir les techniques opératoires de la recherche documentaire**

Ces techniques constituent un ensemble complexe de savoir-faire fondamentaux interdisciplinaires : il s'agit de savoir trouver l'information pertinente, c'est-à-dire l'information correspondant à l'objectif visé. Les élèves apprennent à chercher des informations dans les documents, à les trouver, les rassembler, les sélectionner et les classer selon un critère, à les analyser et à les synthétiser pour choisir l'information demandée.

• **Apprendre à évaluer leur production**

La prise de conscience graduelle de leurs capacités le leur permettra d'autant mieux que la démarche d'auto ou de co-évaluation formative vient enrichir le cadre du travail autonome de base.

• **Savoir communiquer leur production**

Les conditions dans lesquelles elle sera communiquée varieront selon le mode de restitution choisi et le public concerné.

Les objectifs comportementaux signifiés par le mot *autonome*

Ils sont centrés sur l'épanouissement de la personnalité des élèves et leur socialisation et visent à l'apprentissage de l'autonomie.

• **Donner aux élèves la possibilité d'être actifs et de s'exprimer** pour qu'ils construisent eux-mêmes leur savoir.

• **Susciter ainsi le goût et le plaisir de la recherche** qui créeront ou feront surgir leur motivation.

• **Offrir aux élèves l'occasion de retrouver confiance en eux** grâce à la liberté d'initiative, de créativité et à la reconnaissance explicite de leur **droit à l'erreur.**

• **Apprendre à travailler et à vivre avec les autres**, camarades et adultes.

• **Transformer les conditions de la communication**, car le maître partage alors son *pouvoir.*

Les objectifs cognitifs disciplinaires

Le travail autonome favorise aussi l'acquisition de savoirs spécifiques à une discipline donnée grâce à l'investissement de l'élève en énergie et en curiosité.

• **Acquérir des connaissances nouvelles** de façon plus solide et durable que par un cours magistral.

• **Approfondir des connaissances déjà acquises** par une recherche personnelle qui a le temps d'être fouillée.

La méthodologie pour la mise en place de la démarche de base du travail autonome

Elle se déroule suivant trois étapes.

Le diagnostic initial des acquis et des besoins scolaires des élèves

Il s'effectue par rapport aux objectifs. Il est souhaitable d'ajouter à ce diagnostic une exploration des centres d'intérêt et des propositions des élèves.

La préparation du travail

Il convient de définir les objectifs et d'organiser des documents plus ou moins complexes, divers et détaillés selon les élèves.

La détermination des conditions du travail autonome

Elles dépendront des réponses apportées à un certain nombre de questions[1].

– Y a-t-il un contrat ou non ?

– Quelles durée, échéance et structuration du temps y consacrer : séances de travail autonome en alternance avec d'autres démarches ou en continu ?

– Effectuer le travail autonome en individuel ou en groupes, et dans ce cas, quel type de groupes (2, 4, 8...) et selon quelle technique ?

– Où rechercher des documents ? Lesquels ? Qui les fournit ?

– Quels lieux : classe, C.D.I., cours, maison, bibliothèque, autre... ?

– Qui anime, qui participe ? Quels sont les rôles et les fonctions de chacun ?

– Quels supports : écrit, oral, gestuel, graphique, audiovisuel, informatique, journal, artistique ?

– Quel type de production exiger : dossier, sketch, affiche, exposé, montage de diapositives, rédaction, bande dessinée, roman, émission radio ou TV, jeu, sortie, programme informatique, message télématique... ?

– Quelle forme doit prendre la restitution : exposé, circulation de dossiers, exposition, spectacle, etc. ?

– Quelle évaluation ?

Sera-t-elle sommative ou formative ? Sera-t-elle effectuée par l'enseignant, l'élève, le groupe, l'équipe pédagogique ou d'autres ?

1. A Moyne : *Le Travail autonome*, Fleurus, 1982.

Exemples de travail autonome

1. Sur la population
2 à 3 heures pour un groupe de niveau *fort* – classe de 5e.

• **À la maison**
Construction de diagrammes sur papier millimétré avec l'échelle donnée en classe : taux de natalité, taux de mortalité, accroissement naturel pour chaque pays, organisation du travail autonome ultérieur, en découpant et coloriant les colonnes qui sont placées dans 3 enveloppes différentes.

• **En classe**
– Travail individuel : chacun essaie de trouver des regroupements possibles.
– Tout le groupe classe les colonnes par ordre croissant et décroissant ; elles sont collées dans le cahier.

• **À la maison**
Localisation sur un planisphère des 10 pays étudiés.

2. Sur l'Occident médiéval du XIe au XIIIe siècle
15 jours.

• **Bibliographie et plan** étudiés par tout le groupe en classe sur *«château et vie des seigneurs au XIIIe siècle»*.
Plan du château fort obligatoire.

• **Dossier individuel** constitué avec une grille d'auto-évaluation à la maison.

3. Sur le renouveau économique au Moyen Âge
1 heure avec un groupe *moyen* – classe de 5e.

• **But du travail** : passer d'une carte à un tableau.
– Le groupe choisit le tableau en classant les données des cahiers sur «les transports et les échanges» en fonction de 2 cartes.
– Chaque élève étudie les difficultés du classement (ensembles, sous-ensembles, etc.).
– Le groupe fait la synthèse.

4. Sur la faim dans le monde
Travail de 3/4 h à partir d'une cassette vidéo – classe de 5e

• **En classe**
– Tout le groupe fait l'étude préalable d'un questionnaire[1]. Des définitions et explications du vocabulaire difficile sont données par l'enseignant.
– 2/3 élèves : préparation des réponses sur une partie du questionnaire en visionnant la cassette.
– Le groupe : présentation des réponses aux autres élèves ; tous complètent ainsi l'ensemble de leur travail.

---

1. Vidéo-cassette *«Les Pays de la faim nous font vivre»*, C.N.D.P.
Exemples de questions : Pourquoi les petits paysans, les posaeros, sont-ils expulsés ? Quelles sont les cultures vivrières sacrifiées ?

Les difficultés

Pour efficace qu'elle soit, la démarche de travail autonome n'est pas sans susciter quelques problèmes. Cette pratique peut en effet :

• entraîner, dans un premier temps, l'accroissement des antagonismes entre élèves ;

• se heurter au besoin de sécurisation de certains ;

• ne se réaliser pleinement qu'après une remise en question parfois délicate de l'enseignant par rapport à l'idée d'autonomie ;

• nécessiter du temps, de l'énergie et un minimum de moyens matériels facilitateurs, tels que photocopieuse disponible, papier, C.D.I. bien pourvu, etc.

Les stratégies de remédiation

À l'intérieur du cadre pédagogique que constitue la démarche de base du travail autonome, les itinéraires d'appropriation des savoirs par les élèves peuvent être diversifiés grâce à des stratégies de remédiation différentes, portant sur le contenu autant que sur le processus de l'apprentissage visé[1].

Les stratégies concernant le contenu

1. La stratégie de la révision

Elle consiste à répéter et/ou à récapituler l'apprentissage non acquis en utilisant les mêmes points de départ, les mêmes supports, la même démarche que lors de sa première présentation. Cette stratégie a l'avantage d'aider les élèves qui ont été inattentifs, qui ont des difficultés de mémorisation, qui n'étaient pas prêts précédemment à travailler et à comprendre (blocage, fatigue, rejet du contenu, manque de maturité opératoire...), mais elle a l'inconvénient de ne provoquer que rarement le déblocage cognitif.

2. La stratégie du renouvellement

Elle consiste à présenter l'apprentissage à acquérir sous un éclairage différent avec des supports et des contenus nouveaux en changeant de point de départ.

3. La stratégie de l'ouverture

Elle consiste à abandonner l'apprentissage pour étudier un autre contenu, choisi de façon à préparer cette acquisition ultérieure reportée en attendant la maturation des élèves en difficulté. Elle demande une très grande rigueur et cohérence dans l'organisation de la progression des séquences de pédagogie différenciée.

1. D'après A. de Peretti, *Module 6*, I.N.R.P.

4. La stratégie du conseil méthodologique

Elle consiste à travailler davantage sur les méthodes que sur l'acquisition des savoirs en conseillant les élèves sur la gestion de leurs instruments de travail, l'organisation de leur temps scolaire, et la maîtrise des savoir-faire fondamentaux interdisciplinaires (savoir lire, écrire, écouter et observer, communiquer, apprendre ses leçons, mémoriser, transformer une information d'une forme en une autre, etc.)[1].

Les stratégies concernant le processus

Elles consistent à réutiliser et/ou inverser la démarche suivie la première fois :

– une démarche inductive ou déductive,

– une démarche analytique ou synthétique,

– une démarche partant de l'abstrait ou du concret,

en découpant les étapes du travail selon les opérations mentales que nous avons évoquées à propos de l'hétérogénéité des élèves.

L'auto et la co-évaluation formative

Si la démarche de base du travail autonome peut être améliorée par la différenciation des stratégies de remédiation, elle sera aussi enrichie par l'utilisation d'outils pédagogiques : l'auto et co-évaluation formative, le contrat, la pédagogie de projet et les techniques de travail en groupe.

L'auto-évaluation est l'évaluation effectuée par l'élève sur ce qu'il a réalisé, production et/ou maîtrise d'un comportement ; la co-évaluation s'effectue entre plusieurs élèves. C'est une démarche particulière de travail autonome, car son but spécifique est d'être une *auto-formation* de l'élève en même temps que son auto-évaluation ; pour cela, elle doit se pratiquer selon les méthodes d'évaluation formative, la seule à offrir à l'élève des informations suffisamment opérationnelles, variées et précises pour qu'il puisse moduler l'apprentissage selon son rythme et son itinéraire. Comme nous l'avons vu dans la 2e partie, les travaux de Gendron ont récemment mis en lumière cet aspect formateur en parlant d'*évaluation formatrice* lorsqu'elle est ainsi prise en charge par les élèves eux-mêmes.

Cet outil d'auto et de co-évaluation formative représente un moyen privilégié de différenciation des processus, car il crée une situation d'apprentissage où l'élève peut se déterminer grâce à la description précise du cadre de formation et chercher librement ses stratégies d'appropriation et de correction des erreurs.

1. *Cahiers pédagogiques* n° 122, mars 1974, et n° 148-149, nov. 1976. *Recherches pédagogiques* n° 94.

En quoi cette pratique est-elle formatrice ?

Elle constitue pour l'élève à la fois un guide méthodologique de l'apprentissage et un instrument de motivation et de responsabilisation.

C'est un guide méthodologique de l'apprentissage sur lequel porte l'évaluation

Une grille d'auto et de co-évaluation formative présente, en effet, les éléments d'information suivants :

– les opérations à effectuer ;
– l'ordre dans lequel les effectuer ;
– les points de repère ;
– une ou plusieurs stratégies.

1. Elle décrit les opérations
L'élève doit les effectuer pour réaliser l'apprentissage demandé.

2. Elle présente ces opérations dans l'ordre méthodologique
Le travail doit se dérouler selon cet ordre qui peut être chronologique et/ou hiérarchique.

3. Elle offre des points de repère
L'élève s'appuiera sur ces points de repère pour réaliser l'objectif, en mettant en valeur, selon des procédés variés (graphisme, différentes couleurs, espaces...), les éléments importants, les mots clés, les définitions, les informations les plus utiles.

4. Elle conduit l'élève à trouver une stratégie pré-corrective
Avoir à s'évaluer sur les bases concrètes que sont les opérations, le plan et les points de repère, pousse l'élève à adopter naturellement l'attitude fondamentale, qui est au cœur même de cette pédagogie. Cette attitude consiste à s'interroger sur ce qu'il vient de réaliser et à répondre en se déterminant par rapport au niveau de performance exigé dans l'atteinte des objectifs de la grille utilisée. À ce moment-là, si l'élève n'est pas satisfait de sa réponse d'évaluateur, il peut décider, contrairement aux autres situations habituelles d'apprentissage, de revenir en arrière et de corriger ce qu'il a réalisé. Ce sera alors une véritable auto-formation, grâce à cette liberté de **réversibilité** de l'action. Il aura à réfléchir, à se représenter la situation, à revoir les connaissances acquises, et surtout à rechercher dans son environnement d'autres informations éclairantes : dans son cahier, son manuel, ses fiches annexes, le dictionnaire... auprès de l'enseignant, de ses camarades, du documentaliste, etc. C'est par cette possibilité de *stratégie pré-corrective* (l'expression est de Piaget) que l'auto-évaluation et la co-évaluation formative permettent si bien de différencier les processus puisque chacun réagit selon sa personnalité et son cadre de référence cognitif.

Ainsi, la fiche 27 montre un disque d'auto-évaluation formative dont l'objectif général méthodologique est : *savoir réaliser un dossier* pour des élèves de 6e, en début d'année, dans toutes les matières ; il a été utilisé dans le cadre d'une pédagogie de projet interdisciplinaire. Il est découpé en huit objectifs opérationnels décrits en légende et expliqués préalablement aux élèves en même temps que les critères de réussite exigés. On peut se contenter de trois niveaux (bien, moyen, insuffisant) dans la pratique d'auto-évaluation, car ils suffisent pour

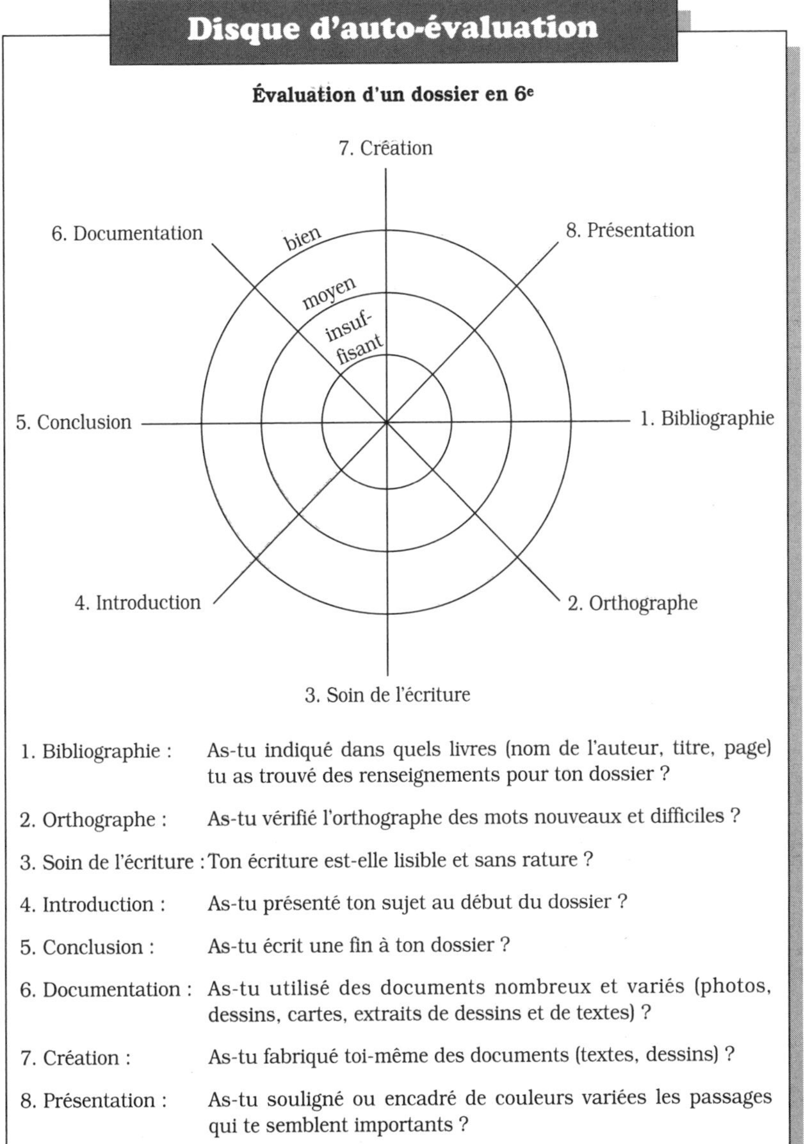

Fiche 27

que l'élève se situe de manière constructive et formatrice. La consigne est de cocher la case adéquate par opération effectuée : au fur et à mesure, les élèves découvrent comment réaliser un dossier, demandent des précisions sur les points obscurs ou oubliés lors des explications précédentes : titre d'un livre (objectif 1), définition par exemple. Ils améliorent leur production en rajoutant des éléments comme une carte supplémentaire (objectif 6) ou un dessin personnel (objectif 7).

C'est un instrument de motivation et de responsabilisation

1. Il débouche sur la prise de conscience par les élèves de leurs réussites et de leurs erreurs

• La prise de conscience des réussites

En remplissant sa grille d'auto-évaluation, l'élève se rend compte de façon concrète, matérialisée, qu'il a réussi certaines parties de l'apprentissage demandé. Cette prise de conscience produit deux effets sur lui :

– un effet méthodologique, car les éléments réussis lui servent de points d'appui pour continuer et s'améliorer ;

– un effet psychologique, car cette mise en évidence explicite des réussites lui fait reprendre confiance en lui, retrouver motivation et énergie, si bien que, parfois, il se met à apprécier le travail et même, à long terme, à aimer la matière concernée.

• La prise de conscience des erreurs

Par une mauvaise note en évaluation sommative, l'élève sait qu'il s'est trompé, mais cela ne l'aide pas à se former même si l'enseignant a rédigé des explications que l'élève ne comprend par ailleurs pas toujours. Dans l'auto-évaluation formative, en revanche, les erreurs, cernées avec clarté, décrites en termes d'actions à réaliser lui servent aussi de repères pour se corriger : ce sont des **essais,** et non des fautes !

2. C'est un instrument d'apprentissage de l'autonomie

Chaque fois que l'élève inscrit sur la grille ce qu'il juge de son niveau de performance, il prend la responsabilité de cette décision. Certains élèves le sentent bien d'ailleurs et refusent ce mode d'évaluation qui les oblige à être actifs au lieu de continuer à rester de passifs entonnoirs où le savoir se déverse. Cette attitude de rejet est fréquente chez les adolescents de 3e et de seconde, comme le montre N. Leselbaum[1] dans son étude sur le lien entre l'apprentissage de l'autonomie et la pratique d'auto-évaluation.

1. N. Leselbaum, *Autonomie et auto-évaluation*, Économica, 1982.

Nelly Leselbaum analyse le bilan d'une expérimentation menée dans trois lycées de 1979 à 1981 au cours de laquelle des professeurs ont tenté d'amener progressivement leurs élèves à prendre en charge leur propre formation à travers l'articulation du travail autonome avec la pratique une auto-évaluation.

Certains élèves, après avoir participé à l'élaboration de grilles de critères d'évaluation, prirent conscience du rôle formatif de l'évaluation et s'habituèrent à critiquer leur propre travail en s'appropriant ces critères.

D'autres élèves, par contre, refusèrent de s'investir de façon autonome. Nelly Leselbaum suggère que, pour résoudre ce problème de passivité, les élèves puissent définir leurs propres critères, ayant plus de chances de réagir en adultes s'il sont traités comme tels.

3. C'est un instrument de déblocage de la motivation

La description des objectifs, des opérations et l'explicitation de la *règle du jeu*, c'est-à-dire des critères de réussite, donnent aux élèves *un sens* et une *base d'orientation* pour l'apprentissage exigé.

Comment élaborer une grille d'auto et de co-évaluation formative ?

Pour élaborer une grille d'auto-évaluation formative, il faut suivre la démarche déjà vue en étant vigilant sur les points suivants :

– l'utilisation d'un langage simple, lisible par les élèves ;

– la clarté du support choisi de manière à ce qu'il soit le plus évocateur possible.

En ce qui concerne la définition des objectifs opérationnels de la grille, il y a deux autres possibilités plus formatrices que la définition par l'enseignant, évoquée jusqu'à présent.

■ La définition des objectifs en commun par l'enseignant et les élèves

L'enseignant propose une liste d'objectifs (cognitifs, méthodologiques ou comportementaux) : les élèves choisissent ceux sur lesquels ils vont travailler, en ayant la liberté d'en rajouter ou d'en abandonner éventuellement, et de choisir quand ils vont le faire.

■ La définition des objectifs par les élèves

C'est une des démarches les plus formatrices, car permettre aux élèves de chercher puis d'expliciter les objectifs opérationnels d'un apprentissage fait qu'ils se l'approprient ; de plus, cette démarche favorise la différenciation des processus, chacun y exprimant ses opinions, ses options et ses choix en interaction active avec les autres. Cette démarche s'effectue en quatre étapes (voir fiche 28, p. 113).

• Première étape

On demande aux élèves de préparer sur une feuille un tableau en trois colonnes, pendant que l'enseignant les note lui-même au tableau (il faut se procurer 2 grands tableaux).

La consigne est de remplir ces colonnes, pendant 5 à 10 minutes, individuellement, en tandem (structure facilitatrice et plus rapide) ou en groupe en observant l'apprentissage visé par cette démarche. Si c'est un travail écrit (rédaction, dossier, questionnaire, exercice, dictée, graphiques, etc.) on en distribue des exemplaires à chaque élève ; si c'est un travail oral (exposé, sketches, dialogue, commentaires sur document, dessins à présenter, musique, etc.) et/ou gestuel, et/ou artistique, il doit se dérouler devant les élèves pendant 5 à 10 minutes, pour qu'ils puissent noter leurs remarques pendant et après : dans ce cas, cette première étape est plus longue évidemment que pour un travail écrit.

• **Deuxième étape** (durée : 10 minutes environ)
Elle consiste à demander aux élèves de lire leurs réponses et de les inscrire au tableau dans les colonnes adéquates ; ce travail de réorganisation des connaissances se fait de façon interactive. On propose à tous d'aider l'élève ou le groupe, qui inscrit ses réponses, à ne pas se répéter, à s'exprimer clairement et à éviter les erreurs d'orthographe.

Lorsqu'une information a déjà été notée, le rapporteur inscrit simplement un bâtonnet (ou un autre signe) devant celle-ci et on lui demande de transformer les verbes à l'infinitif et en positif, en supprimant les négations. Exemple : si, pour un exposé, apparaît la remarque *«Il parlait trop bas»*, la transformer, après avoir posé à tous les élèves la question : *«Donc, que faudrait-il faire ?»*, en *«Parler à voix haute»*.

• **Troisième étape** (durée : 20 minutes environ)
L'enseignant demande aux élèves quelles sont les informations à garder pour qu'ils soient capables de réaliser l'apprentissage en question. Un élève peut animer cette discussion qui, s'inspirant de la technique du *brain-storming*, sera matérialisée en entourant d'une couleur les éléments retenus et en reliant ceux qui sont identiques ou voisins.

• **Quatrième étape** (durée : 5 à 10 minutes)
Les élèves doivent recopier sur une autre feuille le modèle ainsi réalisé avec les éléments retenus. L'enseignant, en le recopiant sur le second tableau, attire l'attention sur l'emploi de verbes d'action, explique qu'une grille d'auto-évaluation vient d'être ainsi obtenue, puis fait trouver et ajouter le titre correspondant. La durée de ce travail varie en fonction du nombre de questions éventuelles que les élèves posent encore à ce moment-là.

Cette définition d'objectifs par les élèves prend au total entre 35 à 50 minutes, mais elle permet, en fait, de transmettre de façon dynamique et motivante l'apprentissage concerné : située en amont de celui-ci, elle place les élèves dans la situation pédagogique fructueuse d'exploration et de prise en charge. Il a été aussi observé[1] que cette

1. N. Leselbaum, *Autonomie et auto-évaluation*, Économica, 1982.

Grille d'auto et de co-évaluation

Définition des objectifs par les élèves

1re étape

Pour réussir à … (ex. : faire un exposé)

ce qui va	ce qui ne va pas	ce que je propose pour l'améliorer

2e étape

ce qui va	ce qui ne va pas	ce que je propose pour l'améliorer
– bien expliquer – montrer de belles diapositives – écrire au tableau les mots difficiles – …	– il parlait trop bas – trop de bruit – a fait des fautes d'orthographe – écrivait trop petit …	– parler à voix haute – attendre le silence – vérifier l'orthographe dans le dictionnaire – écrire en majuscules …

N.B. : Il est souhaitable de demander aux élèves de rédiger cette grille en triple exemplaire, d'en garder un pour l'enseignant et un à coller dans leur cahier ou à classer.

démarche amplifie l'effet positif de la pratique auto-évaluative, car les élèves s'approprient l'apprentissage avec une énergie et un enthousiasme accrus par le plaisir qu'elle leur offre de choisir et décider.

Comment pratiquer l'auto-évaluation formative ?

La pratique d'une auto-évaluation formative demande que l'on soit vigilant sur la procédure préalable, et que l'on utilise une consigne particulière.

La procédure préalable

Il est préférable de toujours commencer cette pratique en classe par une grille de co-évaluation.

1. Commencer en classe

Cela permet de montrer aux élèves comment utiliser une grille d'auto-évaluation formative et de leur donner les informations suivantes :

• Le sens et l'objectif général et/ou intermédiaire de l'apprentissage
Par exemple, dans la grille de la fiche 29 portant sur l'évaluation d'un dossier de géographie en 6e, ce serait : «*Savoir réaliser un dossier de géographie bien présenté et complet*».

• *Les objectifs opérationnels*
Chaque opération est expliquée et clarifiée en fonction des questions et des difficultés rencontrées par les élèves pendant qu'ils remplissent la grille.

• Les critères de réussite correspondant à chaque niveau de performance
Ici, pour l'objectif n° 1 («*Je vérifie l'orthographe des mots difficiles et inconnus*») :

Bien ...	Pas plus de 4 erreurs pour l'ensemble du dossier
Moyen ...	5 à 8 erreurs pour l'ensemble du dossier
Insuffisant ...	Plus de 8 erreurs pour l'ensemble du dossier

• La méthode pour remplir la grille (consignes, couleurs, organisation du travail)

2. Commencer par une grille de co-évaluation
Elle sera doublement formative : d'une part, par le biais des explications que chaque élève doit donner à son camarade pour être évalué ; d'autre part, par le biais des questions qu'il doit poser à son tour pour évaluer. Elle entraîne aussi la prise de conscience, en situation réelle, d'un besoin, comme, ici, l*e besoin de s'exprimer avec précision* pour être évalué par son camarade le plus justement possible.
La co-évaluation incite, de plus, à la *créativité*, car elle repose sur l'échange d'idées et provoque souvent un *déclic* qui pousse les élèves en échec à agir et à s'investir dans l'apprentissage.

Les consignes pour s'auto-évaluer

Elles consistent à demander aux élèves, après distribution de la grille, de réaliser plusieurs opérations.

1. Effectuer l'exercice exigé

2. Remplir la grille au fur et à mesure
Ainsi, elle servira vraiment de guide méthodologique. *Au fur et à mesure* est une expression volontairement vague et précise à la fois, afin que chaque élève suive son propre rythme. Des suggestions de l'enseignant et des élèves entre eux permettent de l'illustrer. Par exemple, découper la grille en 4 ou 5 paragraphes et s'arrêter après la lecture de chaque paragraphe pour réaliser ce qui est demandé ; ou le relire avant de continuer ou se fixer des durées courtes, 5 à 10 minutes, pour lire les opérations décrites et les faire, ou effectuer opération après opération.

3. Remplir la grille au crayon à papier
Les élèves ont ensuite à repasser les indications ainsi notées d'une couleur, fixée à l'avance, à la fin seulement du travail ou du temps

Grille d'auto et de co-évaluation

Pour réussir mon travail	Auto-évaluation			Co-évaluation		
	Bien	Moyen	Insuffisant	Bien	Moyen	Insuffisant
1. Je vérifie l'orthographe des mots difficiles et inconnus						
2. Je soigne mon écriture pour qu'elle soit lisible par quatre personnes différentes au moins						
3. Je présente mon devoir avec propreté et soin, en soulignant ou entourant les mots importants de couleurs variées						
4. Je note la signification des mots nouveaux						
5. J'écris une conclusion en deux lignes qui résume mon travail						
6. Je réponds à toutes les questions						
7. Je note une idée qui me semble essentielle par document proposé						

Cette grille d'auto et de co-évaluation formative s'applique au travail autonome effectué par un tandem de deux élèves en 6e en sciences humaines.

d'observation lorsqu'il s'agit d'un comportement ; d'autres partenaires (camarades, enseignants, parents, administration...) pourront aussi intervenir sur la même grille, en utilisant chacun une couleur différente. L'obligation simple et pratique, d'employer d'abord un crayon à papier, suggère aux élèves l'idée qui est au cœur même du processus d'auto-formation, qu'ils peuvent revenir en arrière, effacer, corriger, ajouter, bref, améliorer ce qu'ils ont réalisé. C'est cette consigne qui les conduit à agir selon la stratégie pré-corrective déjà évoquée.

Les modalités particulières de la co-évaluation

La co-évaluation formative peut être pratiquée entre élèves répartis par groupes de 2 à 6, selon deux modalités.

1. La co-évaluation intragroupe

On distingue trois cas.

• Lorsqu'un groupe a produit un seul travail, chaque membre l'évalue sur une même grille qui circule ; par exemple, un groupe de 4 élèves qui a produit une affiche évalue sur une seule grille portant les 4 évaluations.

• Identique au premier cas, mais le groupe y ajoute, après négociation, une seule évaluation synthétisant les différentes évaluations précédentes.

• Chacun, ayant effectué tout ou une partie de l'apprentissage, est évalué par les autres membres du groupe ; par exemple, quatre élèves ont chacun rédigé un texte qui sera évalué par les autres avec quatre grilles différentes.

2. La co-évaluation inter-groupe

Chaque groupe a une production finale qui est évaluée tour à tour par les autres groupes :

• soit sur une grille qui circule conjointement à la production finale, grille propre à chaque groupe ;

• soit sur une grille générale de synthèse, inscrite au tableau, où le responsable de cette séance note au fur et à mesure les réponses de chaque groupe. Cette opération peut donc intervenir de façon constructive après l'évaluation intragroupe évoquée plus haut.

La co-évaluation porte aussi sur des travaux individuels, échangés entre les élèves, mais il est préférable alors de les rendre anonymes pour éviter le plus possible les biais affectifs.

Toutes les formes d'auto et de co-évaluation formatives peuvent être synthétisées en une grille générale que les élèves recopient pour s'y référer éventuellement. Elle servira surtout par la suite au diagnostic initial des réussites et des difficultés dans un apprentissage donné, débouchant sur une différenciation ultérieure plus positive.

3. La co-évaluation avec l'enseignant

Si l'enseignant porte son évaluation sur la même grille que l'élève, ce dernier peut comparer et demander des explications, à partir d'un matériel concret qui cerne le moment et l'endroit exacts où il a eu des difficultés. Parfois, cela sert aussi à clarifier malentendus et dysfonctionnements sur certains points que l'enseignant croyait compris définitivement.

> Des problèmes peuvent se poser lors de la pratique de l'auto et de la co-évaluation, les élèves ayant tendance, au début, à se sous-évaluer, à sur-évaluer leurs camarades et à réagir en fonction de leurs affinités et antipathies. Ces problèmes s'estompent assez vite à condition d'utiliser régulièrement cette démarche. Ils sont peu importants en regard de ce que la démarche apporte à la différenciation des processus, qui offre réellement des chemins variés et des chances de réussite aux élèves en difficulté.

Fiche 30

Élaboration d'une grille d'auto-évaluation La présentation d'une copie

• **1re étape**

– 15 minutes ;
– travail de groupe 1-2-4 ;
– après distribution d'une copie-type à chaque élève (fiche 31), on demande aux élèves de trouver les défauts de présentation de cette copie et de les indiquer par écrit : d'abord individuellement, puis à 2, puis à 4.

• **2e étape**

– 15 minutes ;
– mise en commun au tableau par le professeur des observations de chaque groupe par roulement ;
– classification au tableau de ces défauts par critère aux couleurs différentes : orthographe, syntaxe, vocabulaire, imprécision, erreur de sens, autre.

• **3e étape**

– Que faut-il faire pour bien présenter une copie ? Transformer la liste des observations en grille d'objectifs valable pour le trimestre ou l'année afin de suivre l'évolution de l'apprentissage du savoir-faire visé (fiche 32).

Collège A. Malraux à Montereau – 77000.

Fiche 31

Copie-type La présentation d'une copie

Devoire

1. Trace un rectangle et calcule son aire.

6 × 2 = 18

2. Qu'as-tu fait pendant tes vacances ? *du vélo*

3. Classe par ordre chronologique : Charlemagne, Napoléon, Louis XV, Clovis, Louis XIV

Clovis Charlemagne ~~Clovis~~ Louis XIV Louis XV napoléon

4. Place des légendes

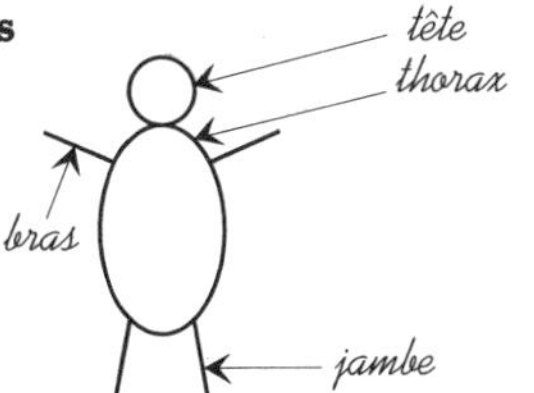

5. *Pierre dit bonjour ça va non ça va pas et toi moi ça va merci*

Fiche 32

Présentation d'une copie

		Auto-évaluation	Co-évaluation
J'ai noté	mon nom	1 2 3	1 2 3
	la date	1 2 3	1 2 3
	la classe	1 2 3	1 2 3
	la matière	1 2 3	1 2 3
J'ai laissé la place	pour la note et l'appréciation	1 2 3	1 2 3
J'ai écrit	lisiblement	1 2 3	1 2 3
	sur les lignes	1 2 3	1 2 3
	pas dans la marge	1 2 3	1 2 3
	sans rature	1 2 3	1 2 3
J'ai placé	la ponctuation	1 2 3	1 2 3
	les majuscules	1 2 3	1 2 3
J'ai écrit	des phrases correctes et complètes	1 2 3	1 2 3
J'ai répondu par	une phrase complète en expliquant	1 2 3	1 2 3
J'ai vérifié que	la réponse correspond à la question posée	1 2 3	1 2 3
J'ai séparé	les paragraphes en allant à la ligne	1 2 3	1 2 3
J'ai séparé	les différents exercices	1 2 3	1 2 3
J'ai souligné	ce qui me paraît le plus important	1 2 3	1 2 3
J'ai souligné	à la règle	1 2 3	1 2 3
En ce qui concerne	les schémas :		
Je les ai faits	au crayon	1 2 3	1 2 3
J'ai tiré les traits	à la règle	1 2 3	1 2 3
J'ai noté	la légende complète	1 2 3	1 2 3
J'ai écrit	une légende lisible	1 2 3	1 2 3
J'ai fait	une construction précise en utilisant le matériel qui convient	1 2 3	1 2 3
J'ai relu		1 2 3	1 2 3
J'ai corrigé	les erreurs d'orthographe	1 2 3	1 2 3

1 : non réalisé
2. : moyennement réalisé
3. : réalisé

Fiche 33

Grille d'auto-évaluation d'activités au C.D.I.

Feuille de route de ......

Ce que je fais en recherche documentaire

B : Bien M : Moyen I : Insuffisant

Le livre	Auto-évaluation			Co-évaluation		
	B	M	I	B	M	I
Je reconnais les différentes parties du livre						
Je reconnais les indications écrites sur la couverture						
Je trouve un renseignement dans la table des matières						
J'utilise la table des matières pour trouver un renseignement dans le livre						
Je trouve un renseignement dans l'index						
J'utilise l'index pour trouver un renseignement dans le livre						
Je trouve un renseignement dans le lexique						
Je trouve un renseignement dans la bibliographie						
Je sais utiliser les clés des livres pour trouver diverses informations						
Je repère les titres et les sous-titres dans un livre						
Je reconnais une revue, un dictionnaire, une encyclopédie, un livre documentaire, un roman, un manuel, un atlas						

L'information	Auto-évaluation			Co-évaluation		
	B	M	I	B	M	I
Je trouve dans un texte une information demandée						
Je trouve dans une revue ou dans un livre une ou des informations demandées						
Je trouve dans une carte, un schéma, une ou des informations demandées						
Je pose dix questions sur un texte (documentaire) qui me plaît						
Je remets en ordre un texte-puzzle en suivant le plan qu'on me propose						
Je remets en ordre les pages d'un chapitre d'un livre documentaire						
Je remets en ordre les pages d'une nouvelle ou d'un conte						
Je compare deux textes sur le même sujet et j'en retire les informations communes aux deux						

Élaborée par Dominique Beudez, documentaliste.

Fiche 33

Les techniques documentaires	Auto-évaluation			Co-évaluation		
	B	M	I	B	M	I
Je propose une façon de classer les livres du C.D.I.						
Je peux dire le nom des 10 grandes classes de la classification						
Je sais lire une fiche de catalogage, en repérant les différentes parties						
Je connais le nom des différents fichiers						
Je sais trouver un document en utilisant le fichier						
Je sais trouver un livre quand j'en connais la cote						
Je sais ranger un livre dans les rayonnages en suivant la classification						
Je sais localiser les différents types de documents dans le C.D.I.						
Je connais la définition du mot *document*						
Je sais poser de trois à dix questions sur un sujet						
Je sais transformer mon sujet de recherche en mots clés						
Je trouve des documents sans l'aide du documentaliste						

Fiche 34

Grille d'auto-évaluation formative en sciences humaines

	Je suis capable de	1	2	3	4	5	6	7	8	9	10
A	Localiser dans l'espace										
B	Situer dans le temps										
C	Comprendre et utiliser un texte										
D	Utiliser une légende										
E	Utiliser des graphiques										
F	Observer un paysage										
G	Observer et utiliser un document iconographique										
H	Mémoriser										

Consignes destinées à remplir la grille ci-dessus

- Je colorie la case lorsque je suis capable de faire ce qui est demandé parfaitement
- Je hachure la case lorsque je suis capable de faire seulement la moitié de ce qui est demandé
- Si les cases ne sont pas coloriées en même temps que la majorité des élèves de la classe : soit je refais les mêmes exercices, soit je demande à mon professeur d'autres exercices de même niveau mais qui portent sur d'autres sujets sauf pour le A (l'espace).

1 à 10 : évaluation mensuelle.

Cette grille correspond au tableau de l'enseignant présenté sur la fiche 3.

La pédagogie de contrat

Le contrat, outil de pédagogie différenciée 121
La démarche de pédagogie de contrat 122
Les différents types de contrat 130
Les avantages et les inconvénients du contrat 132

Le contrat, outil de pédagogie différenciée

Complexe et délicate à gérer, la pédagogie du contrat mérite néanmoins que des moyens soient investis le plus souvent possible dans sa mise en œuvre, car elle est constructive et efficace à la fois pour l'élève et l'enseignant.

■ Un outil pour l'élève

La pédagogie du contrat lui permet d'avancer dans l'apprentissage de l'autonomie. Elle lui propose en même temps d'expérimenter les deux éléments qui la structurent :

– un cadre sécurisant fait de limites clairement définies ;

– la liberté de choisir et de suivre ses propres stratégies.

Rappelons-nous que la *Convention sur les droits de l'Enfant*, élaborée par l'O.N.U. en octobre 1989, précise que l'autonomie est un droit à susciter, respecter, protéger, et que la loi d'orientation de juillet 1989, les directives en découlant, les textes concernant les droits des lycéens invitent aux démarches pédagogiques qui permettraient à l'élève de participer à son orientation, d'élaborer un projet personnel, de s'exprimer plus librement, enfin d'être davantage reconnu, écouté, tel qu'il est, dans sa spécificité.

La pédagogie du contrat réunit aussi les conditions psychologiques de la motivation : par la démarche de négociation elle matérialise pour l'élève une réelle liberté d'exprimer ses opinions, ses choix, sa créativité, de prendre des initiatives, d'être acteur de ses apprentissages et de faire des projets, tous éléments qui déclenchent le désir et l'investissement d'énergie et de temps.

Cette richesse pédagogique rend urgente la pratique du contrat notamment auprès des élèves qui rejettent l'école en bloc et/ou ont de grandes difficultés.

L'organisation de séquences de pédagogie différenciée ne suffisent pas, en effet, pour ceux qui continuent à refuser tout travail ou n'ont toujours pas assimilé les prérequis nécessaires. Il a été observé dans de nombreux cas, par exemple, lors de séances d'aide individualisée en 6e et 5e dans des classes-paliers ou de redoublants, en CP et CM2, dans certains lycées difficiles, que la proposition d'un contrat à des élèves en rejet scolaire entrouvrait la porte à un dialogue, entamait peu à peu le mur de leurs blocages, et pouvait déclencher le désir d'apprendre.

Un outil pour l'enseignant

La pédagogie du contrat permet à l'enseignant de différencier les contenus et les processus.

• La possibilité de différencier les contenus

Un contrat peut être négocié, hors des contraintes de programme et d'horaire, avec des élèves n'ayant toujours pas acquis un savoir ou un savoir-faire, et pour lesquels l'enseignant ne peut plus revenir en arrière sans prendre sur le temps du cours, donc du reste de la classe. Si nous reprenons l'exemple de la séquence de différenciation des objectifs, l'enseignant pourrait passer, avec les trois élèves qui n'ont pas réussi à localiser certains éléments sur le planisphère, un contrat dont l'objectif cognitif et méthodologique serait l'acquisition de ces éléments et leur localisation exacte.

• La possibilité de différencier le processus

La démarche contractuelle laisse, en effet, les élèves libres de proposer et de décider quand, comment, sur quoi, avec qui et avec quels moyens ils vont travailler.

La démarche de pédagogie de contrat

Le contrat se définit comme un **accord négocié** lors d'un dialogue entre des **partenaires** qui se reconnaissent comme tels, afin de réaliser un objectif[1]. La pédagogie du contrat se pratique selon trois principes constitutifs fondamentaux exigeant un changement des mentalités et des structures scolaires actuelles.

1. Principe de liberté de proposer, d'accepter ou de refuser le contrat.
2. Principe de la négociation des éléments du contrat.
3. Principe de l'engagement de mener à bien le contrat.

La liberté de proposer, d'accepter ou de refuser le contrat

Un contrat naît lorsqu'une demande et une réponse libre à cette demande se rencontrent. Dans le contexte scolaire, même s'il arrive que des élèves effectuent cette demande, à la suite d'échos ou

1. Dans le Code civil, c'est une «convention par laquelle une ou plusieurs personnes s'obligent envers une ou plusieurs autres à donner, à faire ou à ne pas faire quelque chose» et où «les contractants s'obligent réciproquement les uns envers les autres». (articles 1101 et 1102)

d'observations enthousiastes de camarades, la demande émane presque toujours de l'institution (enseignants, conseillers d'éducation, d'orientation, agents, chefs d'établissement, parents), car c'est elle qui s'inquiète des élèves en difficulté et désire les faire progresser. Comme nous nous situons ici dans la perspective volontariste de l'organisation d'une séquence de pédagogie différenciée par l'institution, nous envisageons surtout le cas d'une demande institutionnelle, la démarche contractuelle étant identique quand celle-ci provient de l'élève.

La demande de contrat comporte cinq volets.

1. L'analyse par l'élève et l'adulte de la situation qui conduit au contrat est une étape essentielle. Elle révèle souvent des obstacles et des causes de difficultés insoupçonnés par l'adulte. Celui-ci, éclairé par ces éléments, pourra alors proposer des solutions adaptées et mener la négociation de manière positive et réaliste.

Cette analyse permet de dégager, ensemble, le ou les objectifs du contrat. Cette participation de l'élève à la définition de l'objectif est déjà le premier pas de sa responsabilisation et de sa motivation.

2. La proposition consiste à réaliser un objectif qui peut être :

• cognitif : acquérir un savoir nouveau ou mal compris ;

• méthodologique : maîtriser un savoir-faire non assimilé ;

• comportemental : améliorer un comportement afin d'augmenter les chances de réussite.

3. L'indication explicite de la liberté de décision : il est dit clairement à l'élève qu'il a la liberté d'accepter ou de refuser cette proposition, qu'il a aussi le droit de réfléchir et d'attendre une discussion préalable pour y répondre. Sans cette réelle liberté, ce serait un *faux* contrat, la demande s'effectuant alors de telle manière que la réponse ne peut être que l'adhésion. Ainsi, lorsqu'un enseignant propose, par exemple, à un élève de transformer un zéro pour une leçon non sue, s'il la lui récite au cours suivant, ce *contrat tacite* n'est pas un véritable contrat, car le refus est impensable dans le cadre de référence habituel des enseignants. C'est, pourtant, la reconnaissance de cette liberté de dire *non* qui provoque le déclic de la motivation et de l'investissement ultérieur de l'élève dans la réalisation de l'objectif.

4. La communication des informations nécessaires pour que l'élève puisse répondre. Doivent être communiqués :

• les raisons et le but de la proposition du contrat ;

• les indicateurs et les critères de réussite concernant ce que l'élève aurait à réaliser pour que l'objectif soit atteint : définition d'une production finale, modalités d'un changement d'attitude, organisation d'un projet, etc. ;

• la description des principales étapes de la démarche ;

• l'explication de ce que le contrat entraîne comme conséquences pour l'élève.

5. La vérification du réel désir de l'élève est nécessaire, qu'il accepte ou refuse.

Il est opérationnel de vérifier que cette réponse est authentique par des questions cernant l'adéquation entre les valeurs culturelles de l'élève et celles du contrat, et l'accord entre ses sentiments et ses valeurs. S'il y a conflit, l'élève ne s'investira pas durablement ni sérieusement.

À la fin de cette phase de demande et de définition de l'objectif, l'élève note sur une feuille son nom, celui du (des) partenaire(s), la date, l'objectif tout en précisant que ce dernier pourra être remanié lors de la négociation.

■ La négociation du contrat

1. La démarche

Avant de négocier un contrat réel, il est intéressant d'offrir aux élèves l'occasion de vivre ensemble, en classe, la démarche sous forme d'un jeu où l'adulte se donne aussi un rôle. Par ce biais ludique, les élèves prennent conscience des étapes d'une négociation et se sentent plus à l'aise ensuite.

Que le contrat porte sur l'apprentissage d'un savoir, d'un savoir-faire ou d'un savoir-être, la négociation consiste à en définir ensemble chaque élément, tout en évitant, par des transactions cachées et des questions fermées comme «*Tu es d'accord pour..., n'est-ce pas ?*», que le pouvoir institutionnel de celui qui propose le contrat fasse pression sur l'élève.

Pour cela il est important que le demandeur délimite clairement la négociation en indiquant ce qui n'est pas négociable :

– L'objectif dans tous les cas d'utilisation du contrat didactique comme outil de pédagogie différenciée. Si l'objectif émerge lors d'un dialogue ouvert sur les désirs et les difficultés de l'élève par des questions : «*Que veux-tu faire... ? Qu'attends-tu de... ? Que nous dis-tu en agissant ainsi... ?*», l'objectif est négociable. Cela arrive dans les situations d'aide individualisée psychopédagogique portant sur les processus et les comportements davantage que sur les contenus.

– Autres éléments non négociables : le respect, l'écoute de chacun, l'utilisation d'un code de langage, etc.

Ce recadrage est puissant pour faire comprendre à l'élève, qu'à l'intérieur de ces limites, il a la liberté réelle et concrète de donner son avis, proposer, décider. Ce processus, comme la liberté de refuser le contrat, entretiendra sa motivation et son énergie.

La négociation dont les résultats sont notés au fur et à mesure par l'élève sur sa feuille de contrat, se déroule pour chaque élément du contrat selon trois étapes.

• **Première étape : L'élève et l'adulte proposent des options** afin de résoudre les difficultés et de réaliser l'objectif. Il est souhaitable de laisser l'élève libre de proposer ses options le premier. Cette reconnaissance par l'adulte de ses capacités d'initiative le stimule et le pousse davantage à chercher et à réfléchir. L'adulte propose ensuite ses solutions qui peuvent être alors des suggestions qui enrichissent le cheminement de l'élève et rebondissent sur les siennes.

• **Deuxième étape : L'élève choisit une ou plusieurs options** et décide des actions correspondantes lors d'un échange où l'adulte l'aide à préciser ses idées et à les reformuler.

• **Troisième étape : Les partenaires élaborent un programme** de réalisation de ces actions en répondant aux questions : *quand ? comment ? où ? avec qui ? avec quels supports ?* etc., et en vérifiant si ce programme est effectivement réalisable dans la réalité, scolaire et non scolaire, de l'élève. Cette dernière étape est un facteur important de la réussite du contrat, car l'adulte qui a initié le contrat peut aider l'élève, par des questions ouvertes et bienveillantes portant sur les difficultés ressenties par l'élève, ses réussites, ses goûts et les raisons éventuelles du problème évoqué, c'est-à-dire ce qui l'empêche de réussir.

Facteurs d'échecs

▪ **Oublier certains faits** : L'élève propose, par exemple, de travailler régulièrement les lundi de 10 h à 11 h au C.D.I., car il a une heure libre, mais il a oublié que celui-ci était fermé ce matin-là.

▪ **S'engager sur une durée trop longue** : S'imposer une contrainte difficile à respecter longtemps, comme travailler tous les jours une heure de plus en permanence pour faire ses devoirs.

▪ **Occulter ou minimiser certains obstacles réels et importants** : l'absence fréquente des parents, la nécessité de s'occuper de ses sœurs et frères...

▪ **Se ménager des *portes de sortie*** permettant d'abandonner le contrat en cours comme la suggestion, en cas de rupture du contrat, d'une sanction codifiée, connue et intériorisée : *«Oh, vous n'aurez qu'à me mettre deux heures de colle si je ne termine pas mon contrat !»*, m'a dit un élève avec un regard malicieux.

2. Les éléments du contrat à négocier

Il s'agit de l'échéance du contrat, des moyens utilisés pour le réaliser, du type de production finale qui concrétise le contrat, des aides auxquelles l'élève fera appel, de son évaluation, de sa diffusion.

Analysons ces différents points.

• L'échéance du contrat

Lorsque l'élève a proposé des échéances, l'adulte lui indique celles qui lui paraissent souhaitables en fonction de paramètres comme la progression pédagogique du cours, des séances d'aide individualisée et des besoins de l'organisation scolaire (conseils de classe, congés...). L'élève choisit. Il est alors utile de lui demander les raisons de son choix pour le conduire à l'articuler davantage à sa réalisation concrète. S'il propose, en effet, une échéance longue (un an, un trimestre) son énergie se dispersera ou s'épuisera par le simple fait qu'il s'imagine disposer de beaucoup de temps. Pour qu'il comprenne, on peut évoquer le cas où il est exigé d'une personne qu'elle s'arrête de fumer ou d'être en retard définitivement : l'élève réalise alors combien des décisions sur une durée trop longue sont intenables.

Dès le début de la négociation sur l'échéance, son impact est assez étonnant auprès d'élèves qui, surpris et heureux de cette liberté d'expression dans un domaine habituellement réservé à l'enseignant, témoignent aussitôt d'une certaine curiosité suivie parfois d'enthousiasme et de confiance.

• Les moyens utilisés pour réaliser le contrat

Nombreux et variés, ils dépendent du contenu du contrat et recouvrent :

– les moyens matériels : textes, documents iconographiques et audiovisuels, informatique, télématique, mise en scène, expression artistique, gestuelle, etc. ;

– les structures : lieux et temps : C.D.I., cours, P.A.E., études, tutorat, aide individualisée, domicile, bureau du censeur, etc. ;

– les méthodes et les comportements de travail, gestion du temps, écoute active, calme.

• Le type de la production finale qui concrétise le contrat

Un contrat ne peut être estimé réalisé que s'il se traduit par une production aussi bien matérielle (un texte écrit, un dossier, une affiche, un montage audiovisuel, un enchaînement de mouvements, un objet fabriqué, un spectacle, un exposé, un exercice sur ordinateur, un sketch, une sortie, un voyage, etc.) que comportementale (une leçon apprise, une présence régulière, un langage correct, une ponctualité, une prise de parole calme, des devoirs présentés proprement, une maîtrise de la violence, etc.).

• Les aides auxquelles l'élève fera appel

Ses professeurs, ses camarades, sa famille, des personnes appartenant ou non à l'établissement peuvent l'aider à réaliser son contrat, mais il est préférable, là aussi, de délimiter clairement ces aides en termes de temps et de lieux afin d'éviter que l'élève ne se repose passivement sur elles dès la première difficulté.

• L'évaluation du contrat

Elle est nécessaire pour que l'élève sente que son contrat est reconnu comme un travail réel entrant dans son cursus scolaire. Elle peut être

Exemple de contrat

Contrat négocié le...... entre les partenaires suivants :

Analyse de la situation actuelle
– les raisons qui ont conduit à ce contrat :
– les difficultés rencontrées :
– les réussites :
– les goûts personnels qui aideront à réaliser ce contrat.

Objectif(s) : *À la suite de cette analyse, il a été convenu de ...*

Échéance du contrat :

Réalisation :
– la production finale :
– les moyens :
– les aides :

Évaluation :

Engagements des différents partenaires :
En cas d'interruption de ce contrat, il est envisagé de :

Signature des partenaires :

Diffusion de ce contrat :

Contrat inspiré du modèle de Philippe Meirieu

Contrat entre : date :
– nom de l'élève :
– nom des partenaires :

Objectif : *J'ai décidé de...*

Échéance du contrat :

Diffusion

Constat :
– des difficultés ressenties :
– des réussites antérieures :
– des goûts personnels :

Moyens : **Aides :**

Production finale :

Évaluation :

Engagement :
Je m'engage à mener à bien ce contrat et, en cas d'interruption, j'accepte de......

Signature de l'élève Signature du (des) partenaire(s)

Les Cahiers Pédagogiques n° 202, mars 1982.

Date : 9 février 1989

Nom de l'élève : Annie

Nom de l'éducateur : Michel (professeur de sciences) avec lequel est passé le contrat de réussite.

Je veux réussir à noter en entier mon cours de sciences naturelles

1. Échéance du contrat : 2 mois donc jusqu'au 9 avril 89

2. Constat de la situation
Le professeur déchire mes feuilles et je n'arrive pas à apprendre mes leçons.
J'aime dessiner. Je sais faire les schémas, mais je n'arrive pas à écrire le résumé.
Je n'ai pas mes affaires à tous les cours pour écrire.

3. Les moyens pour réussir ce contrat
– Avoir mes outils pour écrire.
– Commencer à noter le résumé en même temps que les autres élèves de la classe, dès demain.
– Terminer le résumé avec le cahier d'un camarade pendant la permanence du lundi.
– Recopier chaque soir une ou plusieurs phrases d'un livre (de classe, personnel...) pendant 1 minute.

4. Qui peut m'aider ?
Marie-Pierre.
Le professeur de sciences à qui je vais demander dès demain d'aller plus lentement pendant quelques cours.

5. L'évaluation sera faite
– Par moi-même en comparant avec le cahier de Josiane.
– Par le professeur de sciences qui mettra une appréciation sur la tenue de mon classeur le 20 février, le 20 mars et qui mettra une note le 9 avril.

Je m'engage à remplir ce contrat pour le 9 avril 1989 et si je ne le fais pas, j'expliquerai par écrit les raisons de cet échec.

L'élève **Le professeur**

effectuée par celui qui a proposé le contrat, par d'autres membres de l'équipe pédagogique, par des camarades en co-évaluation, par le conseil de classe, par l'élève lui-même en auto-évaluation, lors de la négociation.

• La solution de remédiation en cas d'interruption du contrat
C'est lors de sa négociation qu'apparaît chez l'élève la prise de conscience qu'un contrat «c'est sérieux» ainsi que la notion d'engagement. Cette remédiation peut prendre la forme traditionnelle d'une sanction ou – ce qui sera plus formateur – elle consistera plutôt en un dispositif pédagogique différent demandant à l'élève, par exemple, de redéfinir les éléments du contrat qui lui ont posé

problème, d'expliquer par écrit ou oralement les raisons de l'interruption, de réaliser l'objectif par d'autres voies, de proposer un nouveau contrat.

• **La diffusion du contrat**

Avec des élèves particulièrement bloqués, en difficulté ou rejetant l'école, il est important d'évoquer la diffusion de leur contrat. Ce sont, en effet, souvent des enfants ou des adolescents marginalisés et/ou peu aidés par leur famille, mais qui peuvent se référer à un modèle qu'ils aiment (éducateur, moniteur, ami, parent, frère ou sœur, enseignant, etc.) auquel ils souhaiteraient le montrer. Si l'adulte propose de diffuser le contrat aux parents, il sera délicat et vigilant, car des élèves voudront d'autant plus le montrer à leurs parents que ceux-ci sont absents ou ne s'intéressent pas à eux. En revanche, d'autres refuseront farouchement, attitude à respecter pour leur éviter des conflits familiaux qui peuvent être graves.

L'engagement de mener à bien le contrat

L'idée d'engagement est importante à faire émerger tout au long du processus contractuel : il permet aux élèves d'expérimenter l'autonomie par la prise de responsabilité fréquente, et suscite une motivation continue et cohérente grâce à ce fil directeur. De plus, entretenir, de façon démagogique, la croyance qu'un contrat n'engage pas les personnes qui le négocient et que l'interrompre n'entraînerait aucun risque, aucune conséquence serait peu constructif pour la formation de l'élève en tant que personne et citoyen, agissant en adulte dans la société. Au fur et à mesure de la prise de conscience de son engagement, l'élève en rédige les termes, négocie la remédiation éventuelle, et signe s'il le veut.

Pour être authentique, l'engagement devrait être réciproque : l'adulte signifie clairement son engagement qu'il peut aussi rédiger et signer, à côté de l'élève, comme de vrais partenaires. Cet engagement, pourtant, est en partie piégé, car l'adulte en fait, ne court aucun risque, et lorsque c'est l'institution qui a proposé le contrat, il y a inégalité avec l'élève de par la situation même. Cet engagement présente néanmoins un intérêt certain. Alors qu'il existe de manière diffuse et implicite dans le fonctionnement pédagogique habituel, dans le contrat il est exprimé à l'élève, et cette parole est puissante sur le plan symbolique.

Souvent, au moment de signer, se produit aussi un déclic de plaisir et d'attention, surtout chez les élèves âgés, en échec scolaire, qui ont des centres d'intérêt autres que l'école, ainsi qu'une maturité acquise lors d'expériences variées et parfois difficiles ; ils ressentent profondément, dans l'acte de s'engager et de signer, à côté de l'adulte, la reconnaissance de leur identité et de leur individualité qui peut être vécue alors comme plus positive.

La démarche contractuelle décrite se prête à la négociation de différents contrats.

Les différents types de contrat

Un contrat se distingue par son but, par le nombre d'élèves et de partenaires concernés. On trouve cinq types de contrats décrits ici d'après Claudie Ramond[1].

Le contrat de réussite individuelle

Son but est la réussite scolaire dans un domaine donné sur une durée relativement courte : par exemple, *apprendre ses leçons d'histoire régulièrement, passer de 8 à 10 de moyenne en anglais*. Il porte sur l'acquisition de savoirs, l'amélioration de résultats, la maîtrise de savoir-faire.

Il est le plus souvent individuel, car son objectif est très précis et chaque élève a son rythme et ses itinéraires particuliers pour le réaliser, même si parfois plusieurs élèves connaissant le même problème négocieront un contrat identique.

Le contrat de projet avec plusieurs groupes d'élèves

Son but est de mettre en œuvre un projet[2] dans le cadre d'une pédagogie pluridisciplinaire, de projet de P.A.E., de foyers socio-éducatifs, de coopératives, de C.D.I., de classes spécifiques comme les 4e à effectif réduit[3] et la 4e technologique. Son échéance peut être lointaine si elle est entrecoupée de moments prévus à l'avance pour des mini-bilans sur la progression du travail. Le projet portera sur la réalisation d'objets, sur l'organisation d'une sortie, d'un voyage, d'une exposition, d'un spectacle, d'une manifestation sportive ou artistique, d'un concours, d'une fête, d'une pièce de théâtre, d'un journal, d'un roman, d'une émission de radio ou de télévision, d'un montage de diapositives, d'un film, d'un programme informatique, télématique... peut-être même la mise en place de séances d'aide au travail personnel entre élèves... !

Le contrat se négocie avec des groupes d'élèves qui apprennent ainsi à se répartir les tâches, à s'écouter, à être réalistes dans le choix et l'utilisation des moyens, à affiner leur production pour mieux la communiquer, bref à travailler ensemble dans une interdépendance concertée et acceptée.

Le contrat didactique collectif avec une classe entière

Son but est de réaliser un objectif général commun à une classe, sur une durée longue d'un trimestre ou d'un an, à travers des contrats

1. Claudie Ramond, *Grandir, éducation et analyse transactionnelle*, La Méridienne, 1989.
2. Pour la notion de *projet*, se reporter à l'ouvrage de la même collection : J.-P. Obin, F. Cros, *Le Projet d'établissement*, Hachette, 1991.
3. Circulaire n° 91-018 du 28 janvier 1991.

individualisés, par exemple : *réduire le nombre d'erreurs les plus fréquentes en orthographe.*

Il se négocie avec la classe entière : les indications méthodologiques sur la démarche à suivre sont données collectivement, puis chaque élève rédige individuellement son contrat à partir d'informations recueillies lors de diagnostics précédents lui permettant de fixer son objectif particulier. Dans le cas de l'orthographe, ce serait par exemple faire attention à *é* et *er*[1].

Pendant la négociation, l'enseignant est conduit à donner des informations supplémentaires sur l'apprentissage visé par le contrat collectif, si bien que chacun a l'occasion de réfléchir à sa propre façon de le réaliser. L'enseignant peut proposer parfois de rédiger les contrats individuels au brouillon pour en discuter ensuite, par groupes de 2 à 4 élèves, afin de les améliorer. Les élèves considèrent cela comme un jeu stimulant leur créativité. La réalisation de l'objectif de chaque contrat individuel est vérifiée collectivement sur des éléments et à des dates déterminés préalablement par l'enseignant et/ou les élèves. Ici, la réussite de l'objectif serait évaluée sur trois dictées mensuelles et le cahier de texte une fois par trimestre. Dès qu'un élève a réalisé son contrat, il change le contenu de son objectif personnalisé tout en suivant la démarche du contrat collectif.

Le contrat de résolution de conflit

Son but est de résoudre un conflit et/ou un problème d'ordre comportemental, tel que l'absentéisme systématique à un cours, l'agressivité, le manque d'attention, l'agitation, le vol, le vandalisme, la grossièreté, la passivité, etc.

Il se négocie aussi bien avec un seul élève, un groupe, ou une classe entière et il est proposé, de préférence, par un membre de l'équipe pédagogique, en co-animation parfois avec le (les) enseignant(s) concerné(s), ce qui permet à l'élève d'être plus à l'aise pour parler du problème et pour accepter d'y réfléchir. Par exemple un contrat venant de l'infirmière, de l'assistante sociale, du conseiller d'éducation ou d'orientation est mieux accepté.

Sa durée est courte afin que les énergies se concentrent et que les élèves ne se démobilisent pas. La maîtrise d'un comportement considéré comme inadéquat à la réussite scolaire est, en effet, très difficile pour des adolescents déjà souvent instables et en porte-à-faux avec l'institution.

1. *Cahiers Pédagogiques* n° 239, p. 37, décembre 1985.

Le contrat institutionnel ou social

Son but est d'organiser la vie d'une classe, de plusieurs classes, de l'établissement entier comme dans la pédagogie Freinet[1] où les règles de fonctionnement de la classe, définies en assemblée générale, sont matérialisées par un contrat ; de même dans les classes-paliers, les classes de redoublants, les classes spécialisées comme la 4e technologique et la nouvelle 4e de contrat, des contrats de réussite collective sont négociés avec les élèves sur l'objectif de réussir leur orientation dans la classe supérieure. Enfin, la circulaire officielle n° 90-131 sur le projet d'établissement indique que «*tout projet... sert de référence pour l'attribution des moyens à l'établissement, notamment selon le principe d'engagements contractuels*».

Il se négocie en réunion générale avec tous les partenaires concernés, élèves, enseignants, personnel éducatif et administratif, parents, sur une durée assez longue, entrecoupée de séances de régulation fréquentes et déterminées à l'avance : les objectifs sont ainsi clarifiés ensemble afin d'éviter ensuite les jeux psychologiques.

Pour conclure sur ces cinq types de contrats, il est intéressant de faire apparaître aux yeux des élèves, par un schéma, toutes les personnes en jeu dans le contrat qui est toujours, en fait, un **contrat triangulaire**.

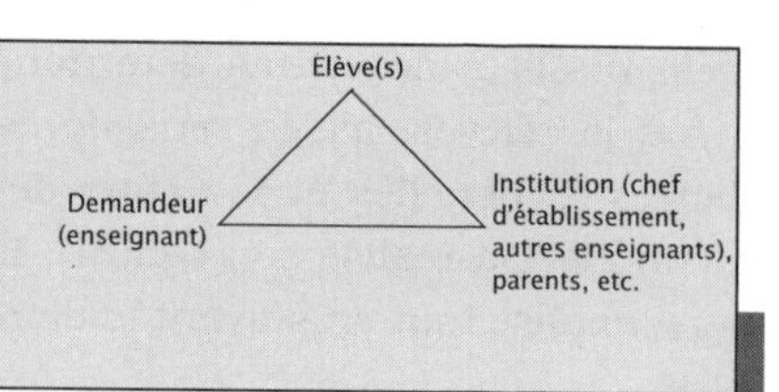

Les avantages et les inconvénients du contrat

La pédagogie du contrat présente de nombreux avantages[2] :
- la richesse de différenciation des itinéraires d'apprentissage ;
- l'expérimentation puissante de l'autonomie ;
- l'essor d'une forte motivation.

On lui associe souvent la pédagogie de projet, qui se présente comme une façon collective et coopérative de différencier les processus.

La pédagogie de contrat présente cependant des inconvénients, mineurs certes en regard de ce qu'il apporte, qui peuvent gêner sa pratique et même l'entraver. Ils se résument à la nécessité de disposer :
- de temps suffisant pour la négociation ;
- d'un lieu calme et isolé, si c'est un contrat individuel ou de groupe ;
- d'un minimum de formation à des démarches comme l'écoute active, la reformulation, la résolution de conflit ou la dynamique de groupe.

1. Célestin Freinet, *Les Techniques Freinet de l'école moderne*, A. Colin, 1980.
2. On trouvera des exemples de contrat dans *Différencier la pédagogie : pourquoi ? comment ?*, C.R.D.P. de Lyon, 1986 et n° 202, mars 1982, des *Cahiers pédagogiques*.

Le contrat n'en reste pas moins un excellent outil de pédagogie différenciée, d'autant plus efficace qu'il s'adresse simultanément de façon équilibrée, aux comportements et aux sentiments de l'élève.

Contrat et élèves en difficulté

Bien que la population des élèves en difficulté soit composée d'un public particulièrement hétérogène, il est possible de distinguer les élèves en difficulté susceptibles de compenser rapidement leur retard, des élèves en grande difficulté pour qui un traitement pédagogique spécifique de plus longue durée peut être organisé.

La prise en charge des premiers en classe de 4e générale ou technologique relève de la pédagogie différenciée. Un regroupement dans une division à effectif restreint peut être envisagé mais les horaires et les programmes d'enseignement doivent être respectés en vue de faciliter le retour en cours, ou en fin d'année, dans toute autre classe de 4e ou de 3e.

Pour les seconds, il semble qu'un dispositif d'aide et de soutien spécifiques s'impose. Le dispositif se caractérisera par la mise en place, dans un nombre de collèges et de lycées professionnels limités et choisis par l'inspecteur d'académie, de classes à effectif réduit (15 à 20 élèves) permettant une réelle individualisation de l'enseignement. L'encadrement pédagogique de ces classes sera assuré par une équipe restreinte et composée dans toute la mesure du possible de quatre à six enseignants volontaires et expérimentés, bénéficiant d'un temps de concertation dégagé dans le cadre du projet pédagogique. Les programmes de classe de 4e constitueront la référence constante de la formation mais les horaires seront aménagés afin de répondre aux besoins de chacun. Des exemples d'aménagement pédagogique des C.P.P.N. seront diffusés dans le cadre du dossier pédagogique prévu ci-dessous. Pour certains élèves, la fréquentation du monde du travail pourra constituer le moyen de remotivation et d'aide à la construction du projet personnel.

Sans que cette démarche constitue un modèle exclusif de réussite, la pédagogie du contrat devrait permettre à chaque élève de définir, au vu du bilan initial et des progrès réalisés, son projet personnel de formation et d'orientation. L'objectif est d'amener chaque élève à intégrer une formation qualifiante. Selon les élèves, le contrat pédagogique peut nécessiter une ou deux années de prise en charge. En fin de contrat, lorsque l'élève satisfait aux exigences programmées initialement, et s'il demande à entrer en lycée professionnel, son affectation sera prioritairement réalisée par l'inspecteur d'académie.

En direction des élèves, le contrat est défini comme une convention passée et acceptée entre les parties prenantes, il formalise une relation impliquant réciprocité. Le contrat pédagogique prévoit notamment les rôles, les ressources et les moyens mis en place pour organiser les conditions des études ; il définit avec réalisme les objectifs et le niveau scolaires qui devront être atteints en vue d'accéder au niveau de qualification choisi[1].

1. B.O. n° 5, 31 janvier 1991.

Les techniques de travail en groupe

Pourquoi utiliser des techniques de groupe ? 134
Comment utiliser les techniques de groupe ? 135
Quand utiliser une technique de groupe ? 137

Pourquoi utiliser des techniques de groupe ?

Le travail autonome en groupe, autre moyen de différencier les processus d'apprentissage, est enrichi par l'utilisation de techniques s'inspirant de la dynamique des groupes[1], adaptées à la classe ; celles que nous évoquons ici ont comme point commun d'être particulièrement efficaces pour remédier aux difficultés dues aux raisons suivantes.

■ Le blocage de la communication

Les techniques de travail en groupe permettent à chaque élève d'exprimer son opinion, en le plaçant dans une situation où il communique en passant par quelqu'un d'autre, élève ou adulte, sans avoir affaire à plus d'une ou deux personnes en face à face direct ; s'il le désire ensuite, il s'intègre progressivement aux groupes, ou il continue à passer par cet intermédiaire pour s'exprimer. De plus, les groupes restreints sont plus sécurisants pour les élèves timides, agressifs ou maladroits dans leur expression que la classe et l'enseignant.

■ La faiblesse de la socialisation

Ces techniques organisent des situations d'interaction sociale dont la variété apprend aux élèves à gérer peu à peu les conflits où se combinent les rejets, les agressivités, les jeux, les rapports de domination/passivité et les leaderships.

■ Le manque de confiance en soi

Un élève, peu sûr de lui, frustré par des échecs successifs, se trouvera conduit, par le hasard du voisinage ou la volonté de l'enseignant, à

1. D. Anzieu et Y. Martin, *La Dynamique des groupes restreints*, PUF, 1971.

montrer et à expliquer un apprentissage à des camarades, ce qui contribuera à lui rendre confiance en ses propres capacités.

■ La disparition de la motivation

Elle se manifeste par la passivité (retrait ou agressivité). Les techniques de groupe créent, au contraire, des situations dynamiques où le droit de bouger, de parler entre camarades, d'organiser les tables autrement, de prendre des initiatives et des décisions, jouer des rôles, de se répartir les tâches, fait surgir chez les élèves, acteurs de leur apprentissage, la curiosité et le désir de travailler.

Ainsi, la pratique de certaines techniques rend le travail autonome en groupe plus efficace pour atteindre des objectifs de contenu et de processus comme :
– la collecte d'informations ;
– la prise de conscience des informations antérieurement mémorisées par la réactivation de la mémoire et du cerveau droit en particulier dans les échanges ;
– le déblocage de la communication ;
– le déblocage de la motivation et de la créativité ;
– la construction progressive d'une production grâce à l'enrichissement successif de l'interaction cognitive entre élèves ;
– la facilitation de l'acquisition de savoirs et de savoir-faire.

Le terme de *dynamique des groupes*, inventé par Kurt Lewin en 1944, désigne le système d'interdépendance entre les membres d'un groupe et les éléments du champ qui s'établit entre chaque sujet et son environnement. Si son équilibre est rompu, il y a tension, provoquant frustration puis agression ou régression. Lewin met en évidence les notions d'espace de vie, de locomotion, de distance psychologique, de barrière, en observant notamment l'influence de trois différents styles d'animation – autoritaire, démocratique, laxiste – sur l'attitude des groupes d'enfants travaillant ensemble.

Après 1955, la période post-lewinienne vit l'essor de la dynamique des groupes comme grille de lecture des interactions de groupe dans une perspective plus psychanalytique selon des méthodes non verbales où était davantage valorisé le vécu sensoriel et affectif du groupe que les problèmes théoriques et techniques.

Comment utiliser les techniques de groupes ?

La réussite d'une technique de travail autonome en groupe dépend de son déroulement. Il s'agit de procéder de la façon suivante.

■ Donner une consigne claire

Il conviendra de vérifier qu'elle a été comprise, en la notant au tableau.

Commencer chaque fois par une étape individuelle de réflexion

Cette étape individuelle se fera par écrit. Pendant une à cinq minutes, les élèves s'expriment au sujet de l'apprentissage proposé : ainsi, leur cadre cognitif de référence (*leurs bagages* comme j'aime l'appeler) apparaît en relation avec leurs interrogations sur le sujet. Ces *bagages* s'intégreront ensuite, lors du processus mis en œuvre, à ceux des autres élèves.

Exiger une trace écrite

Cela est nécessaire pour qu'à la fois les élèves l'utilisent dans la construction progressive du travail, et que l'enseignant puisse s'y référer, sauf si les objectifs de l'apprentissage s'y opposent (travail sur la mémoire, sur la spontanéité ou l'aisance dans la communication orale, par exemple).

Minuter les étapes de la réalisation du travail

Les études sur la relation entre la durée d'une tâche et son efficacité[1] montrent, en effet, que lorsque cette durée est clairement fixée et courte, la productivité augmente.

De plus, les élèves apprécient souvent ce strict minutage vécu comme un défi. Les enseignants, quant à eux, sont satisfaits, car ils obtiennent en un temps réduit une production élaborée, exploitable aussitôt.

Le lecteur a sûrement vécu des expériences plus ou moins agréables qui confirment ce constat, telles que les assemblées générales, les réunions pédagogiques, les conseils de classe où rien n'est vraiment décidé, faute d'en avoir précisé à l'avance les limites, l'horaire, les modalités de fonctionnement, le contenu et le but. Pour P. Fraisse, plus une activité est morcelée parce que sans signification ni limites explicitées et plus elle paraît durer longtemps, provoquant alors retrait, passivité, agitation, déconcentration, alors qu'une activité condensée dans le temps et nourrie de sens paraît brève, focalisant intérêt et énergie.

Effectuer une synthèse collective des résultats de chaque groupe

Cette synthèse peut se faire :
- en affichant ces résultats ;
- en les corrigeant en interaction continue avec les élèves ;
- en y apportant des informations complémentaires (chiffres, faits) ;
- en introduisant des informations nouvelles qui représentent en fait l'objectif de la technique de groupe choisie : la notion grammaticale

1. Paul Fraisse, *L'Homme malade du temps*, Stock, 1979.

qui éclaire tout le travail poursuivi, le théorème qui explique les apprentissages effectués, etc.

Cette synthèse est constructive pour trois raisons.
– Elle renvoie à la classe la photographie de ses capacités. Même si individuellement les élèves n'en sont pas conscients, collectivement ils se sentent valorisés par cette matérialisation de leurs possibilités.
– Elle permet la réorganisation des connaissances disparates recueillies grâce à la technique de groupe, ce qui est un des aspects les plus formateurs du travail autonome.
– Elle est la trace de l'ensemble de l'apprentissage visé, qui sera à mémoriser et à renforcer par des exercices ultérieurs.

Demander un travail personnel de prolongement

Des exercices, une leçon, des recherches, une rédaction peuvent ancrer et conforter l'apprentissage effectué en classe, et le recadrer dans la progression pédagogique que les élèves ont tendance à oublier dans leur enthousiasme et leur plaisir à *jouer* la technique de groupe !

Quelle que soit la technique utilisée, ce déroulement d'un travail de groupe autonome en six étapes conduit les élèves à progresser très vite, car il suit, en fait, le processus interne d'intégration des connaissances décrit par Piaget, comme nous l'avons vu dans la deuxième partie.

Le processus d'intégration se fait par :
• la prise de conscience par les élèves de leurs acquis : centration sur le connu ;
• l'introduction d'informations nouvelles par l'enseignant qui provoque par ce déséquilibre un conflit de décentration ;
• la rééquilibration interne par la représentation de la situation et la réorganisation des données lors des échanges et par le travail personnel.

Pour que l'utilisateur d'une technique atteigne le maximum de son efficacité, grâce à ce déroulement, il est amené à consacrer beaucoup de temps et d'énergie à préparer de façon astucieuse des documents suffisamment nombreux et variés pour répondre à toutes les interrogations, si imprévues pourtant.

Ce constat nous renvoie, évidemment, aux conditions de base pour entreprendre cette pédagogie différenciée.

Quand utiliser une technique de groupe ?

Une technique de groupe peut s'insérer dans un cours à des moments différents selon l'objectif poursuivi par l'enseignant.

Au début ou au milieu d'un cours

1. Pour dynamiser une classe qui se trouve dans un creux de vigilance.

2. Pour débloquer la communication parce qu'il y a des freins et/ou un conflit à gérer.

3. Pour collecter des informations : par exemple un brain-storming démarrant sur une question générale, comme *«Que savez-vous de ?»*, apportera de nombreux éléments nécessaires au cours.

4. Pour éveiller la curiosité et la disponibilité des élèves à un nouvel apprentissage en les amenant ainsi à en être les découvreurs et les acteurs.

Au milieu d'un cours

Cela permet de mettre aussitôt en pratique un apprentissage expliqué de façon magistrale. Cela permet de réguler le cours en faisant apparaître concrètement les différences d'attention et de compréhension, puis d'y remédier.

À la fin d'un cours

Une technique rapide, comme le Phillips 6.6 (voir page 140) permet de lancer un travail autonome qui pourra être continué en d'autres lieux que la classe, tels que le C.D.I., les études dirigées, les séances d'aide individualisée, de pédagogie de projet, les P.A.E., clubs, foyers, la bibliothèque municipale, le domicile. Éventuellement, ce travail pourra être réalisé avec d'autres adultes responsables de groupe.

Exemples de techniques de groupe adaptées à la classe

Il existe trop de techniques de groupe[1] pour les présenter toutes, mais celles qui sont décrites ici ont été souvent pratiquées avec succès et adaptées aux élèves.

1. La technique 1.2.4.8.16

• La consigne est donnée à la classe entière.

• L'étape individuelle de réflexion dure cinq minutes.

• La trace écrite est obligatoire ici, car cette technique est fondée sur l'idée de construction progressive de l'apprentissage. On la propose en la dédramatisant (*«elle ne sera pas notée»*) et en expliquant que chacune est utile au groupe et intéressante pour réussir l'objectif lors de la synthèse finale.

• Les étapes de la réalisation sont minutées ainsi :

– les élèves se mettent ensuite deux par deux par voisinage, et doivent faire la synthèse de leurs réponses, pendant huit minutes ;

1. F. Vanoye, *Travailler en groupe*, Hatier, coll. «Profil Formation», 1976.
P. Gourgaud, *Les Techniques de travail de groupe*, Mésopée Privat, 1969.
Ph. Meirieu, *Itinéraire des pédagogies de groupe : outils pour apprendre en groupe*, Chronique sociale, 1984.

– ils passent ensuite à quatre avec la même consigne (effectuer la synthèse des deux réponses précédentes) pendant dix minutes ;

– puis ils passent à huit, avec la même consigne, pendant quinze minutes. Parfois, si deux ou trois classes sont regroupées, lors d'une sortie ou de l'exploitation d'un film ou d'une conférence, on peut les regrouper par seize (20 minutes), mais cela est délicat à gérer.

Si l'effectif est impair, prévoir des groupes de trois puis de cinq.

• La synthèse collective s'effectue en demandant à chaque groupe, (de quatre ou de huit selon le moment où l'enseignant préfère arrêter le processus) de noter au tableau sa production finale. Cette étape étant longue, il est préférable de distribuer de grandes feuilles avec un feutre en demandant, lors de la dernière phase, d'y noter la synthèse définitive de façon lisible, si bien que ces feuilles pourront être affichées à la fin de la technique et exploitées ainsi plus rapidement. Cette phase dure 10 minutes environ.

• Pour donner un travail personnel de consolidation, il faut demander à tous de recopier la synthèse corrigée et enrichie par l'enseignant. Cette technique est une des plus efficaces que je connaisse : en 50 minutes environ, elle permet d'enseigner des apprentissages difficiles tout en produisant un résumé, un tableau, un graphique à apprendre pour la fois prochaine.

2. La technique *classique* du regroupement par 3 ou 4 élèves

• Les élèves se regroupent par 3 ou 4, soit par affinités, soit selon les indications de l'enseignant qui correspondent aux critères de différenciation qu'il a choisi grâce au diagnostic initial : par exemple, les modes d'expression ou les différences de prérequis.

• L'enseignant distribue à chaque groupe des documents différents, même s'il portent sur un objectif identique, en demandant un rapport à chacun sur son travail et en leur expliquant que chaque production servira à la synthèse finale ; ainsi, les élèves seront plus attentifs au travail des autres, tout en s'investissant avec dynamisme dans le leur, le sachant unique et nécessaire.

• Les groupes travaillent 10 à 20 minutes, selon la complexité de l'apprentissage, puis chacun rapporte à la classe pendant 2 à 3 minutes ce qu'il a déjà fait.

• L'enseignant effectue la synthèse des différents rapports en les corrigeant et les enrichissant d'informations complémentaires et nouvelles (10 minutes), puis relance le travail de groupe.

Un exemple en est donné en histoire de 4e[1] où cette technique se combine à la pratique de jeux de rôles et nécessite une plage horaire assez longue de 2 à 3 heures.

1. Michel Huber, in *L'Histoire, indiscipline nouvelle*, Syros, coll. «Contre-poisons», 1984.

3. La technique du voisinage

• Chaque élève se désigne par un numéro 1 ou 2 par paire, en commençant par un côté qui est indiqué pour le départ de ce comptage.

• La consigne comporte deux volets après la distribution du travail :
– les numéros 1 communiquent à leur numéro 2 les réponses trouvées à ce que demande l'enseignant, pendant une minute ;
– les numéros 2 transmettent aux autres numéros 1 (assis de l'autre côté des numéros 1 avec qui ils constituent la paire).

Ces réponses, les derniers les communiquent à leur numéro 2 qui transmettront à leur tour et ainsi de suite jusqu'à ce que chaque numéro 1, producteur de réponses, reconnaisse les siennes. La technique s'arrête alors.

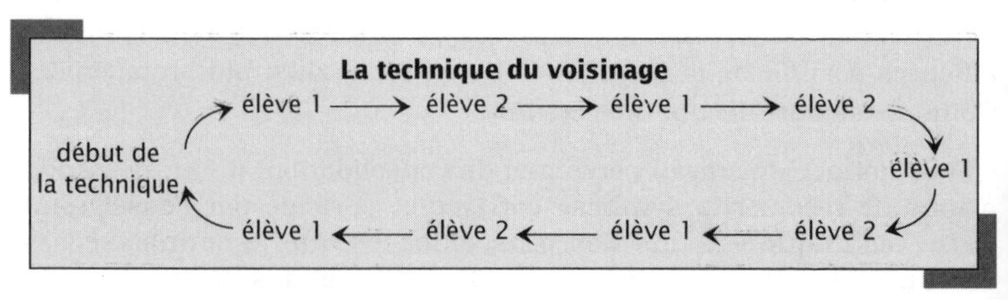

• L'enseignant effectue une synthèse réorganisatrice des informations, après cette circulation de la communication, à partir d'un tour de table et/ou l'analyse des déformations des réponses.

Technique délicate à manier, elle est très fructueuse pourtant lorsqu'on veut créer une meilleure atmosphère dans une classe bloquée, agressive ou morne, et lorsqu'on veut que les élèves améliorent leur mémoire ou leur expression orale. Dans ce dernier cas, la trace écrite n'est pas obligatoire.

4. La technique du messager

Les élèves sont groupés par 4 ou 5 et effectuent l'apprentissage proposé pendant 10 à 15 minutes après avoir choisi un messager par groupe. Les messagers, à la fin du temps imparti, tournent dans chaque groupe pour communiquer leurs productions respectives, deux minutes par message ; puis ils les affichent au tableau pour informer les autres messagers et l'enseignant qui les utilisera pour son intervention.

Cette technique plaît aux élèves et elle peut être enrichie de jeux de rôles, de mimes et de sketchs très efficaces pour atteindre certains objectifs de communication orale (en langue vivante) et/ou d'acquisition de notions abstraites difficiles (mathématiques, histoire...).

5. La technique du Phillips 6.6

Phillips est le nom du créateur de cette technique, et 6.6 signifie six participants pendant six minutes. Les élèves sont regroupés par six et se choisissent un président, un secrétaire, un rapporteur par groupe.

• Le président a comme rôle d'interviewer pendant une minute chaque membre et lui-même sur le sujet proposé, ce qui fait 6 minutes.

• Le secrétaire a comme rôle de noter chaque interview en évitant de répéter une information déjà exprimée. Il est souhaitable, pour lui faciliter cette tâche difficile, qui fait beaucoup hésiter les élèves, de distribuer à chaque secrétaire de groupe une grande feuille et un feutre, en lui disant que leur compte rendu sera affiché pour que toute la classe puisse le lire, aussi serait-il préférable d'écrire le plus lisiblement possible. On dédramatise l'exercice en acceptant des ratures et des erreurs éventuelles (si l'objectif est l'orthographe, ce sera différent bien sûr).

• Le rapporteur a comme rôle d'afficher et de lire à tous le compte rendu de son groupe.

Lorsque les interviews sont terminées, pendant cinq minutes tous les membres des groupes relisent et discutent de leurs interviews en corrigeant, améliorant et même rajoutant des informations aux notes du secrétaire. Cette étape est formatrice car elle joue sur l'interaction et la créativité qui sont réactivées à chaque écoute d'interview. L'enseignant effectue sa synthèse à partir des affiches ; il est utile de continuer le travail en effectuant un second Phillips 6.6, ce qui est possible en une heure de cours puisqu'il dure 30 minutes environ : étape individuelle de réflexion de 5 minutes et intervention de l'enseignant de 10 minutes comprises.

6. La technique de l'entretien

• Les élèves se désignent par les numéros 1 et 2, par paire, comme pour la technique du voisinage. L'étape individuelle de réflexion terminée (1 à 2 minutes pour profiter de la spontanéité des réponses) , chaque numéro 1, simultanément et à voix basse, interroge son numéro 2 pendant une minute, puis ils inversent, les numéros 2 interrogeant leur numéro 1 pendant une minute aussi.

• Chaque élève relate au grand groupe l'interview qu'il a réalisée, c'est-à-dire qu'il présente son camarade et dit ce que celui-ci lui a répondu à propos du sujet proposé. Cette étape peut être enrichie du jeu du portrait, à la rentrée par exemple, car les élèves se découvrent et se connaissent mieux dans la gaieté et le rire.

• L'intervention de l'enseignant se fait au fur et à mesure des relations d'entretiens, en notant au tableau les éléments jugés nécessaires à la synthèse et au travail ultérieur, après discussion avec tous.

L'inconvénient de cette technique est d'être longue au moment du tour de table où les élèves ne s'écoutent plus. Il devient alors préférable de l'effectuer en petits groupes d'une douzaine d'élèves environ. Elle est cependant très fructueuse pour la communication orale.

7. La technique du panel

• Les élèves sont répartis en deux groupes.

– Le groupe du panel[1], assis en demi-cercle face à la classe : ce sont des élèves choisis parmi et par les autres élèves pour les représenter, à raison d'un quart environ de l'effectif total. Son rôle est de débattre du sujet proposé (texte, film, conférence, exercice, documents iconographiques, questionnaire, etc.) et de répondre aux questions des autres.

– Le groupe des auditeurs dont le rôle est d'écouter la discussion menée par le panel lui pose des questions.

• Cette technique se déroule ainsi :

– Première étape : Le panel a comme consigne de discuter du sujet présenté auparavant pendant 10 minutes, l'enseignant pouvant s'y joindre pour relancer parfois la discussion par des informations complémentaires ou nouvelles. Le groupe des auditeurs doit écouter en silence et noter, sur des petites feuilles de papier, ses questions.

– Deuxième étape : Le panel s'arrête de parler et recueille les questions (un élève animateur est chargé de cela, ainsi que de réguler ces étapes), puis il y répond, pendant 10 minutes, lui aussi. Lorsque le panel ne sait pas répondre, l'enseignant intervient à son tour.

– Troisième étape : Soit l'enseignant relance un second panel en ajoutant au contenu à débattre de nouveaux documents, des questions supplémentaires, soit il effectue la synthèse collective sous forme d'un compte rendu sur lequel les élèves auront ensuite à travailler.

J'ai pratiqué cette technique, en histoire, avec des élèves de 4e à propos de la révolution industrielle, à partir du film *Les Camarades* de M. Monicelli. À la fin du panel, j'ai distribué un questionnaire qui reprenait les principaux thèmes abordés, car j'avais orienté la discussion en la recadrant sur les points essentiels que je voulais faire apparaître par des questions adéquates.

Le panel est une excellente technique de travail en groupe pour apprendre aux élèves à s'écouter, à maîtriser leur temps de parole, à argumenter, bref, à débattre, ce qu'ils ont rarement l'occasion d'expérimenter et qu'ils ont beaucoup de difficultés à réaliser.

8. La technique des mini-cas

Des groupes de quatre à six élèves analysent un cas (un problème, un sujet, un exercice...) et proposent toutes les solutions qu'ils peuvent imaginer ; l'enseignant intervient sur ces options. Cette technique constitue un entraînement efficace à l'analyse, à la prise de décision et à la résolution de problème.

1. Panel : échantillon en anglais.

Travail de groupe

Fiche 36

Exemple : classe de 4e – histoire
À propos de Christophe Colomb

	Le point des connaissances : écriture individuelle – lecture des textes des autres		
10'	*Groupe A1 :* Vous êtes italiens. *Groupe A2 :* Vous êtes portugais. *Groupe A3 :* Vous êtes espagnols.	*Groupe B1 :* Vous êtes hommes d'affaires italiens. *Groupe B2 :* Vous êtes savants au Portugal. *Groupe B3 :* Vous êtes membres du clergé espagnol.	*Groupe C1 :* Ce groupe dispose d'info. sur l'origine géographique et sociale de C. Colomb. *Groupe C2 :* Ce groupe dispose d'info. sur les connaissances de C. Colomb. *Groupe C3 :* Ce groupe dispose d'info. sur le caractère et la psychologie de C. Colomb.
30'	*1re Mission :* Préparer une ambassade pour une rencontre internationale.	*1re Mission :* Préparer un séminaire international.	*1re Mission :* Préparer un portrait de C. Colomb.
10'	Chaque groupe A dispose pendant quelques minutes des textes des 2 autres groupes A.	Chaque groupe B dispose pendant quelques minutes des textes des 2 autres groupes B.	Chaque groupe C dispose pendant quelques minutes des textes des 2 autres groupes C.
20'	*1ers jeux de rôles :* La rencontre des ambassades.	*1ers jeux de rôles :* Le séminaire international.	*1er travail :* L'établissement du portrait de C. Colomb.
	Groupe A2 : Vous êtes portugais. *Groupe B2 :* Vous êtes savants au Portugal. *Groupe C2* (voir plus haut). Ce groupe déléguera 1CC à la rencontre.	*Groupe A3 :* Vous êtes espagnols. *Groupe B3 :* Vous êtes membres du clergé espagnol. *Groupe C3* (voir plus haut). Ce groupe déléguera 1CC à la rencontre.	*Groupe A1 :* Vous êtes génois. *Groupe B1 :* Vous êtes hommes d'affaires génois. *Groupe C1* (voir plus haut). Ce groupe déléguera 1CC à la rencontre.
30'	*2e Mission :* Préparer l'entrevue de C. Colomb à la cour du Portugal.	*2e Mission :* Préparer l'entrevue de C. Colomb à la cour d'Espagne.	*2e Mission :* Préparer la rencontre de C. Colomb avec ses compatriotes.
10'	Chaque groupe 2 dispose pendant quelques minutes des textes des 2 autres groupes 2.	Chaque groupe 3 dispose pendant quelques minutes des textes des 2 autres groupes 3.	Chaque groupe 1 dispose pendant quelques minutes des textes des 2 autres groupes 1.
20'	*2es jeux de rôle :* L'entrevue de C. Colomb à la cour du Portugal.	*2es jeux de rôle :* L'entrevue de C. Colomb à la cour d'Espagne.	*2es jeux de rôle :* La rencontre de C. Colomb avec ses compatriotes lors de son retour de Gênes.
	L'animateur énonce les faits réels essentiels		
	Débat		

Michel Huber, in *L'Histoire, indiscipline nouvelle*, G.F.E.N., Syros, Coll. «Contrepoisons», 1984.

9. La technique du *brain-storming*

Cette technique, fondée sur le principe de l'association d'idées, est très intéressante pour susciter l'imagination, la créativité, le plaisir de la découverte, et réactiver fortement la mémoire à court et moyen terme. La consigne est d'exprimer tout ce qui passe par la tête à propos du sujet proposé, même les idées les plus saugrenues, sans se censurer ni critiquer les autres ; l'enseignant les inscrit au tableau en rappelant, à intervalles réguliers, le sujet ; puis, aidé des élèves, il regroupe les informations recueillies par thème en les reliant, ou les soulignant de couleurs différentes légendées, et en les triant pour garder les éléments nécessaires au travail visé par le *brain-storming*[1].

1. *Remue-méninges* ou *tempête du cerveau.*

La différenciation des contenus

La détermination des conditions 145
L'élaboration et la passation du diagnostic initial 145
L'aménagement des structures adéquates 146
La réalisation de la séquence 146

Nous allons décrire maintenant une séquence de pédagogie différenciée portant sur les contenus, en suivant la méthodologie présentée précédemment.
Cette séquence se déroule selon les étapes suivantes.

La détermination des conditions

- **Choix des classes** où elle se déroulera : deux classes de 5e.
- **Choix de la matière** : une seule, histoire-géographie.
- **Nombre d'intervenants** : deux enseignants (A et B) et le documentaliste.
- **Choix du dispositif** : différenciation des structures et des contenus à partir d'un contrôle.
- **Sujet** : les prérequis nécessaires pour «*Savoir localiser dans l'espace*» pour des élèves de 5e.
- **Quand** ? 15 jours après la rentrée.

L'élaboration et passation du diagnostic initial

Objectif méthodologique général

Savoir localiser dans l'espace.

Objectif intermédiaire

Il est choisi en fonction des deux classes (assez faibles) et du moment (début de l'année) : «*Savoir localiser sur un planisphère les océans, les continents, les cercles polaires, les tropiques, l'équateur*».

Objectifs opérationnels

- Avoir orienté le planisphère en inscrivant les points cardinaux.

• Avoir inscrit en jaune les noms des continents aux endroits adéquats.

• Avoir inscrit en bleu les noms des océans aux endroits adéquats.

• Avoir inscrit en rouge les noms de l'équateur et des tropiques aux endroits adéquats.

• Avoir inscrit en vert les noms des cercles polaires aux endroits adéquats.

• Avoir écrit tous les noms selon une orthographe exacte.

• Avoir construit une légende à partir des consignes précédentes.

L'aménagement des structures

• Alignement d'une heure par semaine des deux classes (mardi de 10h à 11h) dans l'emploi du temps.

• Disponibilité demandée et acceptée, *officialisée*, du C.D.I. à cette heure.

• Concertation d'une heure tous les 15 jours avec le documentaliste et deux autres professeurs de sciences humaines.

• Disponibilité de la salle audio-visuelle de l'établissement.

• Alignement éventuel avec les professeurs de français et de sciences naturelles pour des séquences interdisciplinaires.

La réalisation de la séquence

■ Son but

Tous les élèves doivent atteindre un noyau commun de contenus.

• Les objectifs cognitifs : identifier les tropiques, continents, océans, cercles polaires, etc. (16 éléments au total).

• Les objectifs méthodologiques : savoir localiser au minimum la moitié de ces éléments (8) sur un planisphère muet, les repérer au tableau, les retrouver dans un atlas, et savoir se servir de 4 points de repère minimum pour situer ces éléments.

■ Ses limites

• Sa durée est fixée à une heure.

• Sa norme de réussite : 50 % des élèves connaissent le nom de 8 éléments et les localisent sur un planisphère. Cette norme était modeste car les classes étaient de niveau moyen et faible, et les enseignants avaient prévu les moments où les éléments non acquis seraient revus.

Sa place dans la progression générale

• En début d'année pour démarrer la géographie en 5e en rappelant les prérequis.

• Après la séquence : le planisphère sera repris plusieurs fois à propos d'autres sujets du programme pour réactiver et consolider les acquis de cette première séance.

L'organisation du contenu

Les élèves travaillent par groupe, de façon autonome, avec documents et questionnaires. Ils sont répartis en 3 groupes.

• **Premier groupe** : constitué de ceux qui ont atteint la norme de réussite fixée. Il va au C.D.I. et travaille sur l'approfondissement de ses acquis avec le documentaliste muni de documents et du questionnaire qui correspond à ces documents.

• **Deuxième groupe** : constitué de ceux qui ont moyennement atteint les objectifs. Il reste chez le professeur A et travaille sur les contenus non acquis.

• **Troisième groupe** : constitué de ceux qui n'ont pas atteint les objectifs. Il va chez le professeur B qui reprend l'ensemble de l'apprentissage depuis le début.

L'évaluation de la séquence fut un simple contrôle sommatif des connaissances

Cet exemple permet de se rendre compte qu'il est difficile de séparer vraiment la différenciation des contenus de celle des processus, puisqu'ici, déjà, le fait de changer de lieu et d'animateur permet à certains élèves d'aborder les contenus à acquérir d'une manière différente de la première fois où ils ont dû les apprendre.

Les structures

Les élèves 148
Les animateurs 151
Les lieux 152
Le temps 153

La différenciation des structures constitue le dispositif nécessaire, mais non suffisant, à la différenciation de la pédagogie. Cette différenciation commence dès que la classe hétérogène est divisée en groupes d'élèves répartis selon les critères définis lors du diagnostic initial ; elle s'organise autour de la combinaison de quatre paramètres : les élèves, les animateurs, les lieux, le temps.

Les élèves

Pour répartir les élèves selon une démarche de pédagogie différenciée, trois éléments sont à déterminer : les classes et les matières concernées, le critère de répartition, l'effectif.

■ Les classes et les matières concernées

1. Le regroupement de plusieurs classes de type identique ou différent

• Trois C.M.2, ou une seconde avec une première, sont regroupés pour réaliser un projet commun pluridisciplinaire (en pédagogie de projet ou un P.A.E.). Les élèves travaillent sur le thème de *la forêt* en sciences naturelles, géographie, français, arts plastiques, musique, E.P.S., histoire ou bien sur *le héros* en français, anglais, histoire, arts plastiques, à travers l'étude d'un film sur *Robin des Bois*, par exemple.

• Une 6e et une 5e, ou trois classes de 6e, regroupées pour atteindre un objectif commun interdisciplinaire, comme *améliorer l'expression orale* dans plusieurs matières où l'horaire est globalisé ; elles forment alors l'ensemble *X* (souvent désigné par une couleur ou un nom plaisant) où les élèves se répartissent en fonction de l'activité envisagée : certains iront en dessin, par exemple, pendant que d'autres iront en français, en alternant au fil des semaines prévues.

• Toutes les 6es d'un collège sont regroupées pour suivre des séances hebdomadaires régulières d'aide méthodologique, qui est, comme le tutorat, une des stratégies de pédagogie différenciée ou d'aide psycho-pédagogique.

• Les élèves de classes différentes en maternelle et primaire sont répartis en cycles[1] organisés en plusieurs groupes sur un temps limité. Chaque groupe est chargé de travailler un point précis comme les 500 mots indispensables ou la compréhension d'exposés mathématiques, par exemple.

• Plusieurs classes d'un même type sont regroupées dans une seule matière pour constituer des *groupes de niveau-matière* soit sur un ensemble de l'horaire, soit sur une partie ; cette répartition nécessite un alignement des cours.

• Les élèves sont répartis dans des *groupes de besoin* à partir d'un ensemble de trois ou quatre classes de même niveau (trois classes de seconde, par exemple) soit régulièrement, soit selon les besoins diagnostiqués dans une matière.

2. Le partage d'une classe hétérogène en sous-groupes, dans une même matière

On peut envisager deux cas.

• La classe est divisée en deux groupes : l'un reste avec l'enseignant soit pour un cours, soit pour travailler en sous-groupes restreints ; l'autre groupe part ailleurs, avec un autre adulte responsable, travailler sur un contenu et selon un processus identiques ou différents.

• La classe est divisée en plusieurs groupes restreints de deux à six élèves qui travaillent ensemble ou vont ailleurs selon le moment et la technique choisis.

La répartition des élèves

1. Les critères de répartition

Les élèves sont répartis suivant leurs résultats dans des apprentissages donnés lorsque le dispositif choisi est celui de la différenciation des contenus. Le mode correspondant peut être :

Groupes de besoin : exemple en mathématiques

Élèves	Objectifs			
	Nombre d'erreurs			
	Calcul mental	Carré magique	Additions à trous	Soustractions à trous
A	6	1	0	0
B	2	2	0	0
C	0	5	6	7
D	1	3	5	7
etc.				

1. *Les cycles à l'école élémentaire*, Hachette, C.N.D.P., 1991.

• Les **groupes de besoin** comme dans l'exemple ci-dessus (deux classes de 6e en mathématiques).

Le critère de réussite des quatre objectifs cognitifs, choisis par les deux collègues en concertation, était de faire moins de trois erreurs pour chaque opération. Ainsi, les élèves A, C et D iront travailler dans le groupe de soutien ou d'aide individualisée : les élèves A sur le calcul mental avec d'autres camarades ayant la même difficulté, les élèves C et D sur les additions et les soustractions à trous, pendant que ceux qui ont moins de 3 erreurs, comme les élèves B, resteront avec leur enseignant en groupe d'approfondissement.

• Les **groupes de niveau-matière**

Les élèves y sont répartis en trois ou quatre groupes de niveau : faible, moyen-faible, moyen-fort et fort, selon la moyenne de leurs résultats sur une certaine durée (un mois et demi à trois mois), leurs résultats aux tests communs (une à deux fois par trimestre) et, parfois, leurs comportements, l'ensemble étant discuté et évalué en concertation disciplinaire. Ils sont donc mobiles tout au long de l'année, et peuvent changer de groupe (*monter* et *descendre* comme ils disent...) selon leurs progrès ou leurs reculs.

Lorsque le dispositif choisi est celui de la différenciation des itinéraires, les élèves sont répartis en fonction des critères suivants :

– les affinités entre élèves, allant jusqu'au choix du voisinage géographique ;

– les stratégies et les outils pédagogiques utilisés par les enseignants ;

– leurs itinéraires d'appropriation et leur styles cognitifs (image mentale, mode de pensée) ;

– leurs désirs et préférences concernant le choix du contenu et le lieu où ils veulent travailler.

2. Les modes de répartition

• Des groupes homogènes

Les élèves ont, par exemple, la même démarche de pensée et d'expression. Ce mode peut être, pour certains, rassurant et donc constructif dans un premier temps, mais il faut être vigilant à ne pas l'utiliser trop souvent car il conduit à la dérive dangereuse de reconstitution de filières, véritables ghettos peu favorables au déblocage cognitif, si nécessaire justement pour les élèves en grande difficulté.

• Des groupes hétérogènes

C'est la répartition la plus constructive, car elle permet à la différenciation pédagogique d'atteindre le maximum de ses effets grâce à l'augmentation des interactions cognitives et comportementales.

L'effectif

Les effectifs restreints, de 8 à 15-16 élèves, facilitent la pratique d'une pédagogie différenciée mais le choix de techniques de dynamique de groupe appropriées permet d'avoir plus d'élèves pendant une séquence, jusqu'à 32, alors que l'aide individualisée, le contrat, la pédagogie du projet, le tutorat demandent parfois de n'avoir que 3-4 élèves et même... un seul. La détermination de l'effectif est très dépendante des conditions matérielles (moyens horaires, lieux disponibles, nombre d'adultes responsables) que nous avons déjà évoquées.

Les animateurs

Lorsqu'une équipe élabore en concertation un projet de pédagogie différenciée, il est intéressant de lister le nombre de personnes sur qui elle pourra compter, et déterminer, en élargissant le cadre de référence habituel, quel rôle éventuel celles-ci devraient jouer. On peut en effet, faire appel pour animer une séquence de pédagogie différenciée, à divers types d'intervenants.

Les intervenants internes à l'établissement

1. Les enseignants

Ils sont les premiers, évidemment, à animer un groupe puisqu'ils sont à l'origine du projet ; ils peuvent représenter des matières identiques ou différentes, être seuls ou en tandem.

2. Tout le personnel éducatif de l'établissement

Documentaliste, conseiller d'éducation, chef d'établissement, adjoint, conseiller d'orientation, assistante sociale, etc. sont concernés.

3. Les élèves

Ils arrivent, parfois, à expliquer et intéresser de façon plus positive qu'un enseignant, en permettant le déblocage psychologique de leurs camarades ; dans le cadre de l'aide individualisée, en particulier, ils savent être de très efficaces animateurs. Au collège P. Picasso, de Saulx-les-Chartreux par exemple, des élèves volontaires de 4e appelés les *remoras* (poissons-pilote) ont la responsabilité d'une aide à des élèves de 6e, les *requins* (guidés par les poissons-pilote). Il y a un autre résultat bénéfique de cette animation par les élèves, c'est que ceux-ci progressent aussi : ils demandent des explications et des idées à leurs enseignants et s'efforcent d'améliorer leur expression pour être mieux compris de ceux dont ils s'occupent.

Les intervenants extérieurs

1. Les parents

Ils doivent être intégrés auparavant à l'équipe pédagogique pour participer à la réflexion collective préalable et assister éventuellement à un stage de formation ayant lieu dans l'établissement.

2. Les animateurs locaux

Ils viennent de la mairie, du centre culturel, de la bibliothèque, du foyer de jeunes, etc. Ils sont très souvent intéressés à prendre en charge de façon régulière un groupe d'élèves, mais n'osent pas toujours le proposer aux enseignants !

3. Les intervenants spécialistes d'un domaine (santé, informatique, théâtre, littérature, musique, poésie, cinéma, danse, etc.). Ils peuvent aussi animer des séances de pédagogie différenciée s'ils sont associés suffisamment tôt à la réflexion et aux décisions.

Les lieux

Très variés et nombreux, ils peuvent être listés en concertation avant de déterminer le dispositif de différenciation, car c'est un paramètre très contraignant.

La salle de classe

C'est celle d'un enseignant concerné ou de ses collègues éventuels, avec qui il est *aligné* et auxquels il adresse une partie de ses élèves.

Le centre de documentation et d'information (C.D.I.) et/ou les bibliothèques éventuelles de l'école et des environs

Ils peuvent être les lieux privilégiés de la pédagogie différenciée[1] à condition :

• d'intégrer le documentaliste à l'équipe de façon très régulière et concrète en le faisant participer à l'élaboration du projet et en le prévenant suffisamment tôt de la venue d'un groupe ;

• de reconnaître le C.D.I. comme un lieu où s'exerce la transdisciplinarité ;

• d'avoir un espace, une installation et un budget de fonctionnement corrects.

Toutes les formes d'études

Études surveillées, dirigées, permanences peuvent devenir des lieux de pédagogie différenciée si elles sont organisées de façon rigoureuse

1. J. Hassendorfer et G. Levort, *Une nouvelle manière d'enseigner : pédagogie et documentation*, Éducation et développement, 1978.

en accord avec les surveillants et les conseillers d'éducation. Elles servent souvent à l'aide individualisée méthodologique.

Une salle libre à la carte

Tout lieu de l'établissement comme la cantine, le foyer, la salle des professeurs ou des salles spécialisées en informatique, audiovisuel, peuvent être à la disposition des élèves, sous la responsabilité d'un adulte, pour un travail précis et prévu.

Lieux extérieurs à l'établissement

Dans le cadre d'une séquence de pédagogie différenciée, des élèves sortent de leur établissement pour participer à une activité commune avec une autre classe proche (voyage, visite de musée, enquêtes, etc.) comme cela se pratique déjà à l'école primaire. Cela demande, néanmoins, que les enseignants aient plus d'autonomie et que leur responsabilité soit redéfinie.

Le domicile de l'élève

Lieu habituel du travail complémentaire à la classe, il devrait être intégré davantage à une séquence en clarifiant, auprès des élèves, la structuration de celle-ci : une phase de pédagogie différenciée peut être commencée une heure en classe, continuée deux heures au C.D.I. et terminée en une heure environ à la maison.

Les locaux proposés par les collectivités locales

Dans le cadre des lois sur la décentralisation[1], les collectivités locales peuvent organiser, à l'intention des élèves, des activités à caractère éducatif et utiliser les locaux scolaires ou en mettre à la disposition des éducateurs. Des mairies ont déjà organisé, dans leurs locaux, une aide individualisée, animée par des parents, des étudiants, des retraités...

C'est aux établissements, en fait, d'impulser l'utilisation de ces structures au profit de leurs élèves.

Le temps

La structuration du temps est une des conditions nécessaires à la réussite optimale d'une séquence de pédagogie différenciée. La durée des séquences peut être aménagée selon cinq types d'horaires de base[2]. Ces horaires permettent d'organiser des structures plus nuancées en fonction d'objectifs ponctuels.

1. Loi du 22 juillet 1983, modifiée et complétée par celles du 25 janvier 1985 et du 9 janvier 1986.
2. Aniko Husti, *L'Organisation du temps*, Coll. «Rapports de recherches», département de psychologie de l'éducation, I.N.R.P., 1983.

L'horaire centré

L'apprentissage s'effectue en continuité, dans la même discipline, sur 3 ou 4 heures consécutives. Cette structure peut se moduler en alternance avec un horaire et des cours habituels.

L'horaire varié

L'apprentissage s'effectue, dans la même discipline, selon un horaire faisant alterner sur deux semaines (ou plus), des durées courtes pour un travail intense nécessitant une attention soutenue avec des durées longues pour l'approfondissement et la maturation.

L'horaire globalisé

Sur un temps assez long, un semestre par exemple, des heures hebdomadaires sont globalisées sous forme de modules où un programme complémentaire, parfois optionnel, peut être traité.

L'horaire mobile

Les apprentissages s'effectuent dans plusieurs disciplines en une séance de 3 à 4 heures que les professeurs concernés animent.

L'horaire souple

Les apprentissages s'effectuent dans deux disciplines en une séance de 2 à 4 heures, différente selon la tâche à réaliser. Dans l'exemple de la fiche 37 où deux professeurs (A : de mathématiques et B : de géographie) enseignent aux mêmes classes de 6e 1 et 6e 2 et globalisent leurs cours en alternant les classes concernées pour disposer d'une séquence plus longue. Au cours de cette séquence, ils travaillent sur un objectif interdisciplinaire déterminé en concertation dans le cadre du projet de pédagogie différenciée. L'exemple qui suit montre une situation type sur trois semaines.

La structuration du temps

Horaire centré

	Emploi du temps habituel	Emploi du temps souple
8 à 9 h	histoire	français
9 à 10 h	français	
10 à 11 h	mathématiques	

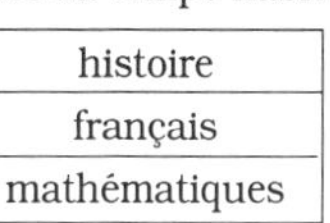

Horaire varié

– 1re semaine :

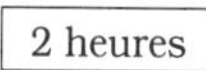

2 heures

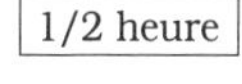

1/2 heure

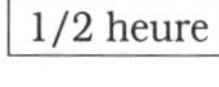

1/2 heure

– 2e semaine :

1 heure | 1 heure | 1/2 heure | 1/2 heure

Un exemple en classe d'allemand

Dans une classe de 6e en allemand, le professeur a varié les durées d'une semaine à l'autre, selon les séquences suivantes qui illustrent bien les possibilités d'aménagement souple des durées de la pédagogie différenciée :

- **Une demi-heure**

Explication d'une question de grammaire, avec exercices de mémorisation.

- **Deux heures**

Exercice oral sur une leçon de vocabulaire, suivi de l'élaboration d'un sketch utilisant le même vocabulaire.

- **Trois heures**

Une leçon de vocabulaire, après une première demi-heure de grammaire, suivie d'une pause chants (mimes) puis d'un exercice de grammaire un peu complexe ; reprise de la leçon exposée au début : des jeux terminent la séance.

Horaire mobile – 5e 1

8 à 9 h	anglais	séance pluri-disciplinaire
9 à 10 h	arts plastiques	
10 à 11 h	français	

Horaire souple

	6e 1	6e 2	6e 1	6e 2	6e 1	6e 2
8 à 9 h	maths	géo	maths	géo	géo	maths
9 à 10 h	géo	maths	maths	géo	géo	maths
	1re semaine		2e semaine		3e semaine	

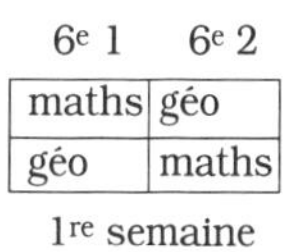

Objectif poursuivi : ***acquérir la notion d'échelle***

Conclusion

La mise en œuvre d'une pédagogie différenciée exige de la rigueur, du temps, de la disponibilité, des structures souples ainsi qu'un changement des cadres de références habituels.

Pratiquée par de nombreux enseignants, cette pédagogie novatrice, qui envisage l'hétérogénéité comme une richesse, porte ses fruits dans les classes : elle motive les élèves et leur permet de progresser.

Les équipes trouveront dans cette démarche des moyens d'aider les élèves à grandir, à s'épanouir et à devenir des adultes responsables... sans avoir leurs ailes rognées, dès les premières années, par l'échec scolaire !

Quelques ouvrages utiles pour débuter

Pédagogie différenciée

- Hors-série des *Cahiers pédagogiques*, «Différencier la pédagogie», 1987.
- *Différencier la pédagogie en E.P.S.*, Cruise, dossier n° 7, 1990.
- *Pédagogie par objectifs*, C.R.D.P. Amiens, 1985.
- *Évaluation par capacités au collège*, C.R.D.P. Amiens, 1989.
- *Savoirs, savoir-faire* et *Évaluation au collège en histoire-géographie*, C.N.D.P.
- *Histoire-géographie : vers une pédagogie différenciée*, C.R.D.P. Nancy.
- *Différencier la pédagogie en français et en mathématiques au collège*, C.R.D.P. Lyon.
- *Outils pour la réussite : sciences naturelles*, C.R.D.P. Poitiers.

Évaluation formative

- A. de Peretti, *Recueil d'instruments et de processus d'évaluation formative*, I.N.R.P., 1980.
- R.F. Mager, *Comment définir les objectifs pédagogiques*, Bordas, 1972.

Pédagogie de contrat

- C. Ramond, *Grandir : éducation et analyse transactionnelle*, La Méridienne, 1989.
- *Pédagogie du contrat*, Cresas n° 6, 1990.
- M. Gordon, *Enseignants efficaces*, Le Jour, 1982.

Souplesse de l'emploi du temps

- E. Durkeim, *De la division du travail scolaire*, PUF, 1978.

Pédagogie du projet

- J.-P. Obin et F. Cros, *Le Projet d'établissement*, Hachette, 1991.
- P. Meirieu, *Apprendre, oui mais comment ?*, E.S.F., 1987.

Imprimé en France, — Imprimerie Hérissey, Évreux (Eure) — N° 92059
Dépôt légal N° 21470-04/2002 - Collection N° 07- Édition N°12
17/0238/0